Инга

ДАВАЙ!

УЧИТЬ
ЧИТАТЬ
ПИСАТЬ
ИГРАТЬ

РУССКИЙ ЯЗЫК КАК ИНОСТРАННЫЙ
ДЛЯ ШКОЛЬНИКОВ

Третий год обучения

УЧЕБНИК

3

САНКТ-ПЕТЕРБУРГ

«ЗЛАТОУСТ»

2020

УДК 811.161.1

Мангус, И.

Давай! Русский язык как иностранный для школьников. Третий год обучения : учебник. – СПб. : Златоуст, 2020. – 184 с.

Mangus, I.

Come on! Russian as a foreign language for schoolchildren. Third year : textbook. – St. Petersburg : Zlatoust, 2020. – 184 p.

ISBN 978-5-907123-64-9

Рецензенты: Алла Кириллова, Светлана Евстратова
Гл. редактор: А.В. Голубева
Редактор: Валерия Михайлова
Корректор: Ольга Капполь
Вёрстка: Андрейс Русиновскис, Лариса Пащук
Художники: Андрейс Русиновскис
Аудиотексты читали: Аннетт Мангус, Павел Зайцев, Андрей Красноглазов

Учебный комплекс для детей с 11 лет, изучающих русский язык как иностранный с нуля до уровня В1. Линейка рассчитана на 4 года (класса) обучения. Комплект для каждого уровня включает учебник, рабочую тетрадь и книгу для учителя, снабжённые ссылками на аудиоприложение и дополнительные задания в цифровой среде. Для первого года обучения имеются прописи. Ведётся работа над созданием онлайн-приложений для учащихся с разными родными языками.

Настоящее издание осуществлено по лицензии, предоставленной Ингой Мангус.

Подписано в печать 28.07.20. Формат 70х100/16. Печ. л. 11,5. Печать офсетная. Тираж 3000 экз. Заказ № 1225. Код продукции: ОК 005-93-953005.

Санитарно-эпидемиологическое заключение на продукцию издательства Государственной СЭС РФ № 78.01.07.953.П.011312.06.10 от 30.06.2010 г.

Издательство «Златоуст»: 197101, Санкт-Петербург, Каменноостровский пр., д. 24в, пом. 1–Н. Тел.: (+7-812) 346-06-68, 703-11-78; e-mail: sales@zlat.spb.ru; http://www.zlat.spb.ru

Отпечатано в ООО «Аллегро».
196084, Санкт-Петербург, ул. К. Томчака, д. 28. Тел.: (+7-812) 388-90-00.

ОБОЗНАЧЕНИЯ

 АУДИОТЕКСТЫ

Некоторые тексты и диалоги учебника можно прослушать или скачать при помощи QR-кодов, которые считываются любым мобильным устройством.

 КНИГА ДЛЯ УЧИТЕЛЯ

Здесь учитель найдёт ответы на некоторые задания, ответы на все кроссворды, описания игр, некоторые дополнительные упражнения и много другого интересного материала.

 ПРЕЗЕНТАЦИИ

Учитель может показывать ученикам новый материал в форме презентации с помощью программы PowerPoint.

 КАРТОЧКИ «РОЛЕВАЯ ИГРА»

Ученики используют в задании карточки, которые они получают от учителя. Начинает диалог тот, у кого на карточке – первая фраза.

 КАРТОЧКИ

Ученики используют карточки, которые они получают от учителя.

 СЛУШАЙ, ПОВТОРЯЙ, ПЕРЕВОДИ

Ученики работают с новой лексикой при помощи аудиозаписей.

 УЗНАЙ СЛОВО

Ученики работают с лексикой в презентациях, размещённых на веб-ресурсе издательства «Златоуст» http://s.zlat.spb.ru/davaj-3.

 НОВЫЕ СЛОВА

Все новые слова представлены с ударением, их можно послушать и поупражняться в их запоминании.

 ЦИФРОВАЯ СРЕДА

Здесь ученики найдут более ста увлекательных цифровых упражнений, которые считываются при помощи QR-кодов любым мобильным устройством.

СОДЕРЖАНИЕ

Первая тема:
Я И ДРУГИЕ

1. Винительный падеж	10
2. Я купил новый ноутбук	17
3. Он любит читать газеты и журналы	19
4. «Багаж»	23
5. Проверяем, что мы знаем	25

Вторая тема:
ШКОЛЬНЫЙ ДЕНЬ

6. Учитель объясняет правило	26
7. Медленно и громко или быстро и тихо?	28
8. Мы повторяем диалог	30
9. Когда уже каникулы?	33
10. Проверяем, что мы знаем	36

Третья тема:
МОЯ НЕДЕЛЯ

11. В какой день недели?	37
12. Кто сказал неправильно?	41
13. Моя рабочая неделя	43
14. Встретимся в понедельник!	44
15. Проверяем, что мы знаем	50

Четвёртая тема:
МОЙ ДЕНЬ И МОЁ ХОББИ

16. Что я делаю?	51
17. А это мой день	55
18. Моё хобби	60
19. Моя суперсемья	65
20. Проверяем, что мы знаем	68

Пятая тема:
ЧТО Я ОБЫЧНО ЕМ?

21. Фрукты и ягоды	69
22. Овощи	71
23. Что где растёт?	73
24. Завтрак, обед, ужин	75
25. Проверяем, что мы знаем	80

Шестая тема:
ВСТРЕТИМСЯ В КАФЕ

26. Будущее время	81
27. Ты будешь завтра в городе?	85
28. В кафе	88
29. Кто что заказал?	92
30. Проверяем, что мы знаем	93

СОДЕРЖАНИЕ

Седьмая тема:
КОГО Я ЛЮБЛЮ?

31.	Винительный падеж	94
32.	Ты знаешь Антона?	98
33.	Кто кого любит?	99
34.	Проверяем, что мы знаем	102

Восьмая тема:
КУДА И НА ЧЁМ МЫ ЕДЕМ?

35.	Идти/ехать	103
36.	Ходить/ездить	106
37.	Куда?	108
38.	Привет! Ты куда?	115
39.	На чём ты едешь?	119
40.	Семейная логистика	123
41.	Проверяем, что мы знаем	125

Девятая тема:
ПУТЕШЕСТВУЕМ

42.	Готов, занят, свободен, согласен, должен.	126
43.	Сегодня праздник	132
44.	«Неудачное свидание»	134
45.	Путешествуем по Москве	136

46. Проверяем, что мы знаем   138

Десятая тема:
КАКОГО ЧИСЛА ПРАЗДНИК?

47. Порядковое числительное   139

48. Какой по счёту?   144

49. Какой сейчас год?   149

50. Какое сегодня число?   151

51. Какого числа?   154

52. Новая жизнь   159

53. Праздники   162

54. Привет! Это я!   164

55. Проверяем, что мы знаем   167

ДОПОЛНИТЕЛЬНЫЕ МАТЕРИАЛЫ

Словарь   168

Таблицы   178

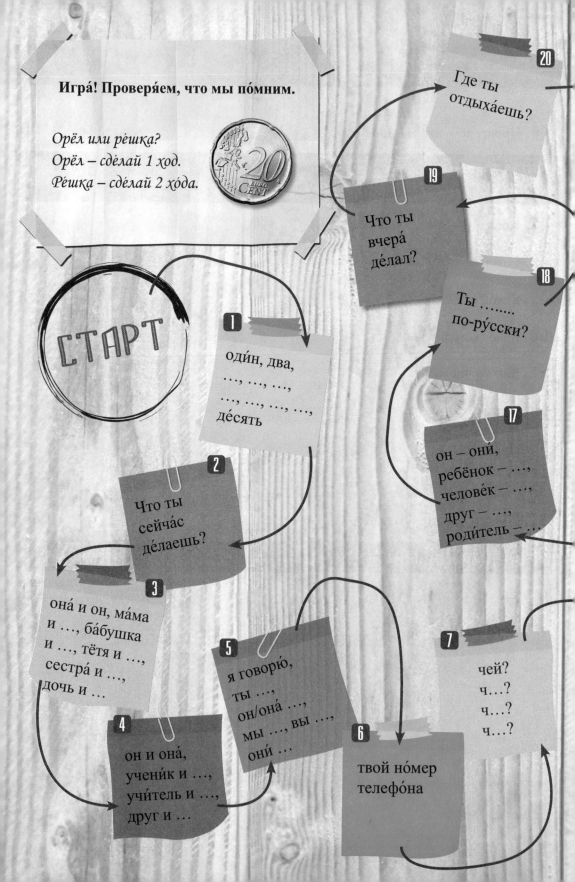

Игра́! Проверя́ем, что мы по́мним.

Орёл и́ли ре́шка?
Орёл – сде́лай 1 ход.
Ре́шка – сде́лай 2 хо́да.

СТАРТ

20
Где ты отдыха́ешь?

19
Что ты вчера́ де́лал?

18
Ты .... по-ру́сски?

1
оди́н, два, …, …, …, …, …, …, …, де́сять

17
он – они́, ребёнок – …, челове́к – …, друг – …, роди́тель – …

2
Что ты сейча́с де́лаешь?

3
она́ и он, ма́ма и …, ба́бушка и …, тётя и …, сестра́ и …, дочь и …

5
я говорю́, ты …, он/она́ …, мы …, вы …, они́ …

7
чей?
ч…?
ч…?
ч…?

4
он и она́, учени́к и …, учи́тель и …, друг и …

6
твой но́мер телефо́на

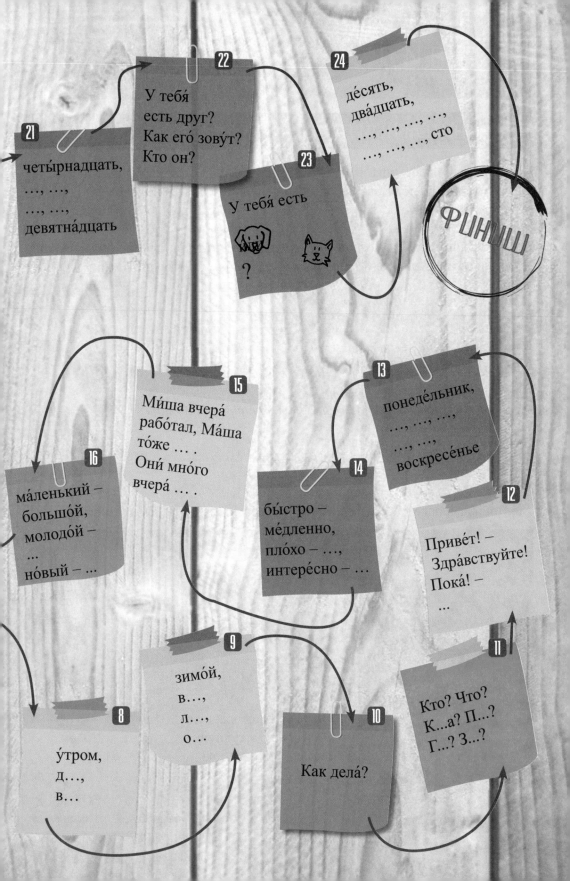

Значение

ВИНИ́ТЕЛЬНЫЙ ПАДÉЖ

Винительный падеж показывает, на что или на кого направлено действие. Чтобы правильно образовать форму винительного падежа, важно знать, неодушевлённое существительное (*книга*) или одушевлённое (*собака*).

В винительном падеже **неодушевлённое существительное** отвечает на вопрос **ЧТО?**, **прилагательное** – на вопросы: Какой? Какое? Какую? Какие?

Что у́чит Тиму́р? Тиму́р у́чит язы́к.
Како́й язы́к у́чит Тиму́р? Тиму́р у́чит ру́сский язы́к.

Что купи́ла А́нна? А́нна купи́ла мы́ло.
Како́е мы́ло купи́ла А́нна? А́нна купи́ла ро́зовое мы́ло.

Что чита́ет Ма́ша? Ма́ша чита́ет кни́гу.
Каку́ю кни́гу чита́ет Ма́ша? Ма́ша чита́ет интере́сную кни́гу.

Что ты де́лаешь? Я де́лаю упражне́ния.
Каки́е упражне́ния ты де́лаешь? Я де́лаю тру́дные упражне́ния.

Форма

Вини́тельный падéж неодушевлённых существи́тельных и прилага́тельных

	Мужской род	Женский род			Средний род
	-й -ь но́вый компью́тер, чёрный чай, большо́й слова́рь	**-а** интере́сная кни́га	**-я** ску́чная статья́	**-ь** си́няя тетра́дь	**-о -е** бе́лое окно́, тру́дное упражне́ние
Прилага́тельное	↓ Не изменя́ется	↓ -УЮ интере́сную ску́чную си́нюю			↓ Не изменя́ется
Существи́тельное	↓ Не изменя́ется	↓ -У кни́гу	↓ -Ю статью́	↓ Не изменя́ется	↓ Не изменя́ется

Во мно́жественном числе́ ничего́ не меня́ется!

Э́то но́вые компью́теры. → Я хочу́ но́вые компью́теры.
Э́то тру́дные упражне́ния. → Я де́лаю тру́дные упражне́ния.
Э́то интере́сные статьи́. → Я чита́ю интере́сные статьи́.

Фо́рма вини́тельного падежа́ у слов мужско́го ро́да и сре́днего ро́да совпада́ет с фо́рмой имени́тельного падежа́, то есть не изменя́ется.

Э́то но́вый компью́тер. → Я хочу́ но́вый компью́тер.

Э́то тру́дное упражне́ние. → Я де́лаю тру́дное упражне́ние.

Изменя́ются то́лько слова́ же́нского ро́да.
Е́сли в имени́тельном падеже́ существи́тельное ока́нчивается на **-А**,
то в вини́тельном падеже́ оно́ меня́ется на **-У**:

Вот интере́сная кни́га. → Я чита́ю интере́сную кни́гу.

Е́сли в имени́тельном падеже́ существи́тельное ока́нчивается на **-Я**,
то в вини́тельном падеже́ оно́ меня́ется на **-Ю**:

Э́то ску́чная статья́. → Я чита́ю ску́чную статью́.

Прилага́тельные ока́нчиваются на **-УЮ** или **-ЮЮ** и меня́ются то́лько
в же́нском ро́де.

Обрати́ внима́ние! Е́сли в имени́тельном падеже́ существи́тельное
ока́нчивается на **-Ь**, то в вини́тельном падеже́ оно́ не меня́ется.
Меня́ется то́лько оконча́ние прилага́тельного:

Вот краси́вая тетра́дь. → Я хочу́ краси́вую тетра́дь.

Запо́мни глаго́лы, по́сле них ста́вится вини́тельный паде́ж!

люби́ть

рисова́ть

есть

чита́ть

знать

понима́ть

слу́шать

учи́ть

купи́ть

заказа́ть

говори́ть

получи́ть

пить

де́лать

ви́деть

посла́ть

носи́ть

писа́ть

объясня́ть

ждать

спроси́ть

отвеча́ть

смотре́ть

повторя́ть

по́мнить

проверя́ть

Я ХОЧУ́
МЫ ХОТИ́М
ТЫ ХО́ЧЕШЬ

ВЫ ХОТИ́ТЕ
ОН/ОНА́ ХО́ЧЕТ
ОНИ́ ХОТЯ́Т

хоте́ть

Я ПЕРЕВОЖУ́
МЫ ПЕРЕВО́ДИМ
ТЫ ПЕРЕВО́ДИШЬ

ВЫ ПЕРЕВО́ДИТЕ
ОН/ОНА́ ПЕРЕВО́ДИТ
ОНИ́ ПЕРЕВО́ДЯТ

переводи́ть

УЧИМ СЛОВА́:

послáть
получи́ть
статья́

спорти́вный
мо́дный
мо́да

по ме́йлу
це́лый

купи́ть

журна́л

газéта

ноутбу́к

спорт

письмо́

сообщéние

1. Знакóмимся! Нóвые словá.

2. Говори́м, что купи́л мужчи́на.

3. Говори́м во мно́жественном числе́.

Я хочу́ компью́тер. → **Мы хоти́м** компью́тер.

1. **Мужчи́на чита́ет** спорти́вные газе́ты и мо́дные журна́лы. 2. Что **ты пи́шешь?** 3. **Я пишу́** письмо́. 4. Когда́ **учени́к чита́ет, учи́тель слу́шает.** 5. **Наш па́па рабо́тает** в ба́нке. 6. **Ва́ша тётя у́чится** в университе́те. 7. **Он уме́ет** чита́ть по-ру́сски. 8. **Я** хорошо́ **понима́ю** по-ру́сски. 9. **Я пишу́** письмо́. 10. **Он ждёт** кани́кулы. 11. **Же́нщина гото́вит** еду́. 12. Что **он де́лает?**

Я ⟷ МЫ
ТЫ ⟷ ВЫ
ОН ⟷ ОНИ
ОНА

4. Говори́м в еди́нственном числе́.

Мы у́чим ру́сский язы́к. → **Я учу́** ру́сский язы́к.

1. **Вы чита́ете** мо́дные журна́лы. 2. Ве́чером **мужчи́ны отдыха́ют.** 3. У́тром **мы смо́трим** телеви́зор. 4. **Ученики́ у́чат** англи́йский язы́к. 5. **Учителя́ рабо́тают** в шко́лах. 6. **Они́ не понима́ют** нас. 7. **Де́ти де́лают** уро́ки. 8. **Же́нщины не едя́т** ве́чером. 9. **Мы у́чимся** чита́ть. 10. **Де́вочки ждут** весну́. 11. **Ма́льчики пи́шут** пи́сьма по ме́йлу. 12. **Де́душки чита́ют** спорти́вные са́йты.

5. а) Слу́шаем и чита́ем шу́тку. Отвеча́ем на вопро́сы.

Ма́ленький ма́льчик сиди́т и пи́шет. Ма́ма говори́т ему́:

Ко́ля, что ты де́лаешь?

Ма́ма, ты зна́ешь, у меня́ есть но́вый друг Ники́та. Я пишу́ ему́ письмо́.

Но ты ещё ма́ленький и не уме́ешь писа́ть!

Ну и что́? Мой друг то́же ма́ленький. Он не уме́ет чита́ть.

Вопро́сы:

1. Что де́лает Ко́ля?
2. Ко́ля уме́ет писа́ть?

3. Ники́та уме́ет чита́ть?
4. Ники́та большо́й и́ли ма́ленький?

б) Ска́жем «пра́вильно» и́ли «непра́вильно».

1. Говоря́т ма́ма и сын.
2. Ко́ля и Ники́та – друзья́.

3. Ма́льчики ещё ма́ленькие.
4. Ма́льчики уме́ют чита́ть и писа́ть.

6. Составля́ем предложе́ния в проше́дшем вре́мени.

Я + получи́ть + но́вый компью́тер. → Я получи́л но́вый компью́тер.

1. Они́ + хоте́ть купи́ть + цветны́е карандаши́. 2. Я + ви́деть + люби́мый цвет.
3. Мы + смотре́ть + люби́мое кино́. 4. Ты + получи́ть + больши́е де́ньги.
5. Они́ + ждать + дли́нная зима́. 6. Она́ + учи́ть + ру́сский язы́к. 7. Он + знать
+ англи́йский язы́к. 8. Ты + чита́ть + ру́сская кни́га. 9. Вы + учи́ть + ру́сские
слова́. 10. Они́ + хоте́ть + большо́й дом. 11. Мы + де́лать + тру́дное зада́ние.
12. Я + чита́ть + ру́сская газе́та. 13. Ты + купи́ть + мо́дный журна́л.
14. Он + посла́ть + коро́ткое письмо́. 15. Вы + чита́ть + интере́сная кни́га.
16. Я + получи́ть + дли́нное сообще́ние. 17. Он + купи́ть + но́вый ноутбу́к.
18. Я + не знать + фи́нский язы́к. 19. Вы + де́лать + лёгкое упражне́ние.
20. Я + ви́деть + интере́сная статья́.

7. Расска́зываем, что чита́ет же́нщина.

ЖУРНА́Л   КНИ́ГА   ПИСЬМО́   ГАЗЕ́ТА

8. Составля́ем предложе́ния в проше́дшем вре́мени.

Он + посла́ть + коро́ткий + письмо́. → Он посла́л коро́ткое письмо́.

1. Мы + хоте́ть купи́ть + дорого́й + дом. 2. Ты + де́лать + лёгкий + зада́ние.
3. Я + чита́ть + ру́сский + газе́та. 4. Она́ + купи́ть + мо́дный + журна́л.
5. Вы + посла́ть + коро́ткий + письмо́. 6. Они́ + чита́ть + интере́сный + статья́.
7. Он + получи́ть + дли́нный + мейл. 8. Они́ + купи́ть + дешёвый + ноутбу́к.
9. Мы + не знать + фи́нский + язы́к. 10. Вы + де́лать + тру́дный + упражне́ние.
11. Она́ + хоте́ть купи́ть + кра́сный + ру́чка. 12. Я + не ви́деть + но́вый
ру́сский + фильм. 13. Мы + смотре́ть + люби́мый + кино́. 14. Я + есть + большо́й
+ бутербро́д. 15. Мы + ждать + дли́нный + кани́кулы. 16. Они́ + учи́ть + ру́сский
+ язы́к. 17. Она́ + знать + англи́йский + язы́к. 18. Ты + чита́ть + ру́сский + кни́га.
19. Вы + учи́ть + ру́сский + слова́. 20. Я + пить + чёрный + чай.

2 УРОК Я КУПИ́Л НО́ВЫЙ НОУТБУ́К

1. Слу́шаем и чита́ем диало́ги.

1

Ты получи́л вчера́ моё письмо́?

Нет, не получи́л.

Да ты что! Я вчера́ у́тром посла́л тебе́ по ме́йлу письмо́.

Извини́, я не смотре́л ещё сего́дня ме́йлы.

2

Что ты чита́ешь?

Журна́л «Спорт».

Ты лю́бишь спорт?

Да, я о́чень люблю́ спорт.

Что ты там чита́ешь?

О́чень интере́сную статью́.

3

Кароли́на, ты у́чишь слова́?

Нет, я уже́ де́лаю упражне́ние.

А я ещё чита́ю текст. Не зна́ю, что зна́чит э́то сло́во. Ты не зна́ешь?

Я то́же не зна́ю. Вот слова́рь.

4

Моя́ ма́ма о́чень лю́бит чита́ть мо́дные же́нские журна́лы. А твоя́?

Да, моя́ ма́ма то́же ча́сто чита́ет же́нские журна́лы.

Мой па́па чита́ет спорти́вные са́йты. А твой?

Нет, мой па́па не лю́бит спорт. Он э́то не чита́ет.

5

Пе́тер, почему́ ты не пи́шешь упражне́ние?

Я не понима́ю зада́ние.

Ты не понима́ешь, потому́ что не у́чишь но́вые слова́.

Да, я зна́ю. Но я так не хочу́ учи́ть!

6

Газе́ту чита́ешь? Я не знал, что ты чита́ешь газе́ты.

Все чита́ют. Журна́лы сейча́с сли́шком дороги́е. Я тепе́рь чита́ю то́лько газе́ты.

А газе́ты дешёвые?

Нет, газе́ты то́же дороги́е. Но есть беспла́тные рекла́мные газе́ты. Там о́чень интере́сные статьи́.

И каки́е газе́ты ты чита́ешь?

Наприме́р, «Мой райо́н».

7

Ты зна́ешь, что я вчера́ купи́ла?

Нет, не зна́ю. Что?

Я купи́ла но́вый ноутбу́к!

Ого́! А заче́м?

Как заче́м? Рабо́тать, учи́ться, чита́ть, игра́ть, писа́ть ме́йлы!

2. Слу́шаем диало́ги. Что лю́ди купи́ли?

1. Что купи́ла же́нщина?
2. Что купи́ла ма́ма?
3. Что купи́л А́ндрес?
4. Что купи́л ма́льчик?

3. Составля́ем диало́ги.

1
А: Катя, почему ты не делаешь упражнение?
А: Может, тебе помочь?
А: Да, я понимаю, потому что я знаю новые слова.
А: Ты не понимаешь, потому что не учишь новые слова.

Б: Нет. Спасибо!
Б: Я не понимаю упражнение.
Б: Хорошо. Я уже тоже сижу и учу новые слова.
Б: Я учила, но не все. А ты, Рома, понимаешь это упражнение?

2
А: Знаешь, что я вчера купил?
А: И учиться, конечно, тоже.
А: Как зачем? Играть, писать письма по мейлу, читать интересные статьи.
А: Я купил новый компьютер!

Б: А учиться?
Б: Зачем?
Б: Нет, не знаю. Что ты купил?

3
А: Вы получили моё письмо?
А: Почему не смотрели?
А: Я вчера вечером послал вам письмо по мейлу.

Б: Нет, не получил.
Б: Компьютер не работает.
Б: Извините, я ещё не смотрел сегодня мейлы.

4
А: Что ты любишь читать?
А: А мама, наверно любит читать модные журналы?
А: А что твой папа любит делать?

Б: Нет. Мама любит писать письма.
Б: Я люблю читать интересные книги.
Б: Папа любит читать газеты.

5
А: Привет, Света! Где ты была?
А: Ты любишь розовый цвет?
А: И что ты там купила?
А: Ты видела розовый ноутбук?

Б: Нет, не видела, но очень хочу.
Б: Привет, Таня! Я была в магазине.
Б: Да, очень. Я ещё хочу розовый ноутбук и розовую сумку.
Б: Я купила розовое мыло и розовый шампунь.

3 УРОК ОН ЛЮ́БИТ ЧИТА́ТЬ ГАЗЕ́ТЫ И ЖУРНА́ЛЫ

1. Узнаём сло́во.

2. Составля́ем из двух предложе́ний одно́.

Она́ говори́т: а) Он мно́го рабо́тает. → Она́ говори́т, что он мно́го рабо́тает.

> ..., что ...

1. *Она́ говори́т:* а) Ве́чером она́ не смо́трит телеви́зор. б) Они́ не понима́ют уро́к.
в) Ученики́ не у́чат слова́.
2. *Я зна́ю:* а) Он мно́го чита́ет. б) На уро́ке они́ иногда́ пи́шут.
в) У неё всё в поря́дке. г) Он купи́л маши́ну.
3. *Мы чита́ли:* а) Они́ живу́т в Росси́и. б) Он не ест мя́со. в) Она́ не ест ры́бу.

3. Меня́ем предложе́ния по образцу́.

Он говори́т: «Я зна́ю слова́». → Он говори́т, что он зна́ет слова́.

> ..., что ...

1. Они́ пи́шут: «Мы у́чим ру́сский язы́к». 2. Ты говори́шь: «Я смотрю́ телеви́зор ка́ждый день». 3. Ты пи́шешь: «Брат мно́го рабо́тает». 4. Учени́ца говори́т: «Ве́чером ученики́ отдыха́ют». 5. Друг говори́т: «Я сего́дня не́ был в шко́ле». 6. Ма́ма писа́ла: «У меня́ всё в поря́дке».

4. Составля́ем из двух предложе́ний одно́.

Он говори́т пра́вильно. Он у́чит слова́. →
Он говори́т пра́вильно, потому́ что у́чит слова́.

> ..., потому́ что...

1. Он ве́чером не отдыха́ет. Он мно́го рабо́тает. 2. Он ме́дленно чита́ет. Он ма́ло занима́ется. 3. Ты понима́ешь текст. Ты хорошо́ зна́ешь слова́. 4. Она́ ещё пло́хо говори́т по-ру́сски. Она́ у́чит ру́сский язы́к то́лько 1 год. 5. Я не люблю́ чита́ть англи́йские газе́ты. Я пло́хо понима́ю по-англи́йски. 6. Он хо́чет купи́ть но́вую маши́ну. У него́ есть де́ньги. 7. Ученики́ не е́ли в шко́ле. Они́ е́ли до́ма. 8. Я сижу́ и пишу́. Я де́лаю дома́шнее зада́ние.

5. Спра́шиваем и отвеча́ем.

Он не смо́трит телеви́зор, потому́ что у́чится. →
Почему́ он не смо́трит телеви́зор? Потому́ что он у́чится.

1. Ты говори́шь непра́вильно, потому́ что не у́чишь слова́. 2. Вы не понима́ете, потому́ что не слу́шаете. 3. Ученики́ слу́шают, потому́ что учи́тель интере́сно говори́т. 4. Де́ти не у́чатся, потому́ что смо́трят телеви́зор. 5. Она́ хорошо́ зна́ет ру́сский язы́к, потому́ что мно́го говори́т по-ру́сски. 6. Он хо́чет купи́ть но́вый компью́тер, потому́ что у него́ есть де́ньги.

5 ∩ **6. 1) Слу́шаем. 2) Чита́ем и перево́дим.**

КАРЛ ЛЮ́БИТ ЧИТА́ТЬ

1 Приве́т! Э́то Карл. Он прия́тный молодо́й челове́к. Все де́вочки говоря́т, что он о́чень-о́чень краси́вый. Карл живёт в Финля́ндии, но сейча́с он у́чится и живёт в Эсто́нии, в На́рве. Он у́чит здесь ру́сский язы́к.

2 Он зна́ет фи́нский, англи́йский и ру́сский языки́. Карл отли́чно говори́т по-фи́нски, потому́ что э́то его́ родно́й язы́к. А по-ру́сски он говори́т ещё пло́хо, потому́ что он у́чит ру́сский язы́к то́лько 1 год.

3 Карл лю́бит чита́ть газе́ты и журна́лы по-англи́йски. Он хорошо́ понима́ет по-англи́йски. Неда́вно он чита́л о́чень интере́сную статью́.

4 У Ка́рла есть ста́рший брат и мла́дшая сестра́. Они́ живу́т в Ла́хти. Ла́хти – небольшо́й го́род. Его́ роди́тели ча́сто пи́шут ему́ пи́сьма по мейлу. Они́ учителя́. Они́ ещё не ста́рые, но о́чень соли́дные лю́ди. Сего́дня Карл получи́л письмо́. Ма́ма пи́шет, что у них всё в поря́дке. Иногда́ роди́тели звоня́т и говоря́т це́лый час.

5 Карл у́чит ру́сский язы́к ка́ждый день. Вот его́ уче́бники, тетра́ди, карандаши́, слова́рь и ста́рый ноутбу́к. Карл о́чень хо́чет купи́ть но́вый большо́й и дорого́й ноутбу́к, потому́ что ему́ не нра́вится его́ ста́рый ма́ленький и дешёвый ноутбу́к. У него́ есть де́ньги, потому́ что роди́тели неда́вно посла́ли ему́ де́ньги. Э́то зна́чит, что он обяза́тельно ку́пит но́вый компью́тер!

6 Карл лю́бит чита́ть по-ру́сски. Он ча́сто чита́ет мо́дные же́нские журна́лы. Да, же́нские, ну и что? Там о́чень лёгкий ру́сский язы́к. Иногда́ он чита́ет кни́ги на планше́те. Сейча́с он чита́ет но́вую о́чень интере́сную ру́сскую кни́гу. Кни́га о́чень дли́нная, и он чита́ет её уже́ о́чень до́лго.

7 Он о́чень ре́дко смо́трит телеви́зор, то́лько тогда́, когда́ там говоря́т по-ру́сски. Когда́ по телеви́зору говоря́т по-эсто́нски, то он не понима́ет. Ещё он лю́бит спорт и иногда́ смо́трит спорт.

8 Сего́дня в шко́ле Карл получи́л пять! Коне́чно! Он говори́т, что вчера́ он сиде́л оди́н до́ма и це́лый ве́чер де́лал дома́шние зада́ния и учи́л ру́сский язы́к.

9 Карл пока́ говори́т по-ру́сски ме́дленно и непра́вильно, а хо́чет говори́ть бы́стро и пра́вильно. А как ты говори́шь и хо́чешь говори́ть по-ру́сски?

3) Найдём и прочита́ем отры́вок, в кото́ром говори́тся, что...

а) Карл получи́л сего́дня оце́нку «пять».
б) Карл сейча́с чита́ет интере́сную, но дли́нную ру́сскую кни́гу.
в) Карл получи́л неда́вно де́ньги.
г) Карл хо́чет говори́ть по-ру́сски пра́вильно и бы́стро.
д) Карл живёт сейча́с в На́рве.
е) Карл неда́вно чита́л интере́сную статью́ по-англи́йски.
ж) Карл у́чит ру́сский язы́к то́лько оди́н год.
з) Карл ча́сто получа́ет пи́сьма.
и) Карл не зна́ет эсто́нский язы́к.

4) Послу́шаем за́пись и ска́жем пра́вильно.

5) Отвеча́ем на вопро́сы.

1. Како́й челове́к Карл?
2. Где Карл сейча́с живёт?
3. Что Карл де́лает в На́рве?
4. Каки́е языки́ он зна́ет?
5. Как он говори́т по-фи́нски? Почему́?
6. Как он говори́т по-ру́сски? Почему́?
7. Что он лю́бит чита́ть?
8. Как он понима́ет по-англи́йски?
9. У Ка́рла есть семья́? Где живёт его́ семья́?
10. Кто его́ роди́тели? Каки́е они́? Что они́ ча́сто де́лают?
11. Что Карл сего́дня получи́л?
12. Что пи́шет ма́ма?
13. Как ча́сто Карл у́чит ру́сский язы́к?
14. Что Карл хо́чет купи́ть? Почему́?
15. У него́ есть де́ньги? Почему́?
16. Что Карл ча́сто чита́ет?
17. Что он сейча́с чита́ет?
18. Карл ча́сто смо́трит телеви́зор?
19. Карл зна́ет эсто́нский язы́к?
20. Что сего́дня Карл получи́л в шко́ле?
21. Что он де́лал вчера́ ве́чером?
22. Как Карл говори́т по-ру́сски?
23. Как он хо́чет говори́ть по-ру́сски?

6) Говори́м в проше́дшем вре́мени.

Карл был прия́тный молодо́й челове́к.
Все де́вочки говори́ли, что он о́чень-о́чень краси́вый…

7) Составля́ем диало́ги.

1. Как тебя зовут? 2. Сколько тебе лет? 3. Где ты живёшь? 4. Что любишь читать? 5. Какой иностранный язык знаешь? 6. Что любишь делать? 7. Что хочешь купить?

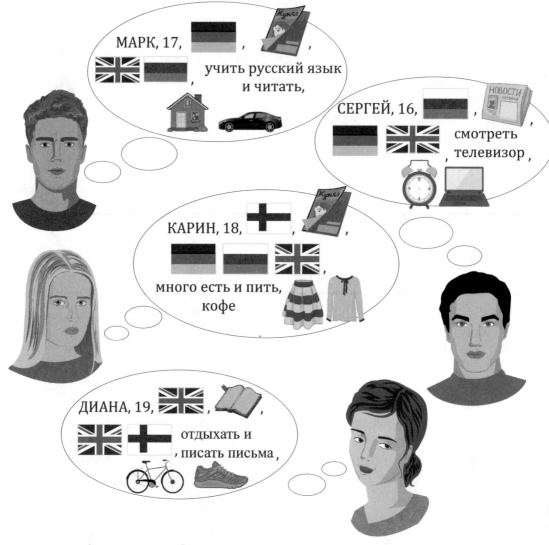

МАРК, 17, , , , учить русский язык и читать,

СЕРГЕЙ, 16, , , смотреть телевизор,

КАРИН, 18, , , много есть и пить, кофе

ДИАНА, 19, , , , отдыхать и , писать письма ,

8) Расска́зываем о себе́.

1. Ты говори́шь по-англи́йски? 2. Ты говори́шь по-фи́нски? 3. Каки́е языки́ ты ещё зна́ешь? 4. Ты был в Финля́ндии? Где? 5. Что ты лю́бишь чита́ть? 6. Что ты сейча́с чита́ешь? 7. Где ты живёшь? 8. Кто твои́ роди́тели? 9. Что ты хо́чешь купи́ть? Заче́м? 10. У тебя́ есть де́ньги? 11. Ты ча́сто смо́тришь телеви́зор? 12. Что ты де́лал вчера́ ве́чером? 13. Как ты говори́шь по-ру́сски? 14. Как ты хо́чешь говори́ть по-ру́сски?

УРОК **4** «БАГАЖ»

1. Слушаем аудиозапись / смотрим мультфильм. Читаем стихотворение.

БАГАЖ
Самуил Маршак

собака
собачонка
пёс
щенок

диван

чемодан

саквояж

Дама сдавала в багаж
Диван,
  Чемодан,
    Саквояж,
      Картину,
        Корзину,
          Картонку
И маленькую собачонку.

Выдали даме на станции
Четыре зелёных квитанции
О том, что получен багаж:
Диван,
  Чемодан,
    Саквояж,
      Картина,
        Корзина,
          Картонка
И маленькая собачонка.

Вещи везут на перрон.
Кидают в открытый вагон.
Готово. Уложен багаж:
Диван,
  Чемодан,
    Саквояж,
      Картина,
        Корзина,
          Картонка
И маленькая собачонка.

Но только раздался звонок,
Удрал из вагона щенок.

Хватились на станции Дно:
Потеряно место одно.
В испуге считают багаж:
Диван,
  Чемодан,
    Саквояж,
      Картина,
        Корзина,
          Картонка ...
– Товарищи! Где собачонка?

Вдруг ви́дят: стои́т у колёс
Огро́мный взъеро́шенный пёс.
Пойма́ли его́ — и в бага́ж,
Туда́, где лежа́л саквоя́ж,
    Карти́на,
      Корзи́на,
        Карто́нка,
Где пре́жде была́ собачо́нка.

карти́на

Прие́хали в го́род Жито́мир.
Носи́льщик пятна́дцатый но́мер
Везёт на теле́жке бага́ж:
Дива́н,
  Чемода́н,
    Саквоя́ж,
      Карти́ну,
        Корзи́ну,
          Карто́нку,
А сза́ди веду́т собачо́нку.

Соба́ка-то как зарычи́т,
А ба́рыня как закричи́т:
– Разбо́йники! Во́ры! Уро́ды!
Соба́ка не то́й поро́ды!

корзи́на

Швырну́ла она́ чемода́н,
Ного́й отпихну́ла дива́н,
    Карти́ну,
      Корзи́ну,
        Карто́нку ...
– Отда́йте мою́ собачо́нку!

– Позво́льте, мама́ша! На ста́нции
Согла́сно бага́жной квита́нции
От вас получи́ли бага́ж:
Дива́н,
  Чемода́н,
    Саквоя́ж,
      Карти́ну,
        Корзи́ну,
          Карто́нку
И ма́ленькую собачо́нку.

Одна́ко
За вре́мя пути́
Соба́ка
Могла́ подрасти́!

5 УРОК ПРОВЕРЯ́ЕМ, ЧТО МЫ ЗНА́ЕМ

ЦИФРОВА́Я СРЕДА́

 1.1. Найди́ па́ру. Соедини́ карти́нку и сло́во. Послу́шай, как произно́сится.

 1.2. Вы́бери пра́вильную фо́рму.

 1.3. Что де́лает Карл? Рабо́та с те́кстом из уче́бника. Отве́ть на вопро́сы по те́ксту.

 1.4. Бага́ж. Напиши́, что уложи́ла в бага́ж да́ма из изве́стного стихотворе́ния, в вини́тельном падеже́.

---

5. Де́лаем зада́ние и проверя́ем себя́.

Я де́лаю **тру́дное упражне́ние / тру́дную упражне́ние**. →
Я де́лаю **тру́дное упражне́ние**.

1. Я зна́ю **англи́йскую язы́к / англи́йский язы́к**. 2. Ты у́чишь **но́вые слова́ / но́вые сло́во**? 3. Она́ чита́ет **хоро́шая кни́га / хоро́шую кни́гу**. 4. Он смо́трит **интере́сная кино́ / интере́сное кино́**. 5. Мы купи́ли **краси́вый ноутбу́к / краси́вую ноутбу́к**. 6. Ты ешь **чёрную хлеб / чёрный хлеб**? 7. Де́ти рису́ют **кра́сный дом / кра́сные дом**. 8. Я хочу́ **но́вое телефо́н / но́вый телефо́н**. 9. Она́ пи́шет **коро́ткую статью́ / коро́ткая статья́**. 10. Он получи́л **дли́нное письмо́ / дли́нные письмо́**. 11. Он понима́ет **лёгкое зада́ния / лёгкие зада́ния**. 12. Ты ви́дел **зелёная су́мка / зелёную су́мку**?

6. Слу́шаем, повторя́ем, перево́дим.

7. Слова́рная рабо́та 1.   **8. Прове́рочная рабо́та 1.**

9. Дикта́нт 1.

6 УРОК УЧИТЕЛЬ ОБЪЯСНЯЕТ ПРАВИЛО

УЧИМ СЛОВА:

переводи́ть	отве́тить	тепе́рь
объясня́ть	ти́хо	опя́ть
пра́вило	Ти́хо!	предложе́ние
ничего́	гро́мко	
спроси́ть	молоде́ц	

объясня́ть

Я ОБЪЯСНЯ́Ю	МЫ ОБЪЯСНЯ́ЕМ
ТЫ ОБЪЯСНЯ́ЕШЬ	ВЫ ОБЪЯСНЯ́ЕТЕ
ОН / ОНА́ ОБЪЯСНЯ́ЕТ	ОНИ́ ОБЪЯСНЯ́ЮТ

переводи́ть

Я ПЕРЕВОЖУ́	МЫ ПЕРЕВО́ДИМ
ТЫ ПЕРЕВО́ДИШЬ	ВЫ ПЕРЕВО́ДИТЕ
ОН / ОНА́ ПЕРЕВО́ДИТ	ОНИ́ ПЕРЕВО́ДЯТ

1. Знако́мимся! Но́вые слова́.

2. Называ́ем анто́нимы.

1. ча́сто – …, 2. жа́рко – …, 3. поня́тно – …, 4. бы́стро – …, 5. дёшево – …, 6. прия́тно – …, 7. ра́но – …, 8. светло́ – …, 9. краси́во – …, 10. хорошо́ – …, 11. интере́сно – …, 12. тру́дно – …, 13. давно́ – …, 14. ко́ротко – …, 15. всегда́ – …, 16. ма́ло – …, 17. гро́мко – …, 18. … – пло́хо, 19. … – неинтере́сно, 20. … – дли́нно, 21. … – никогда́, 22. … – мно́го, 23. … – ти́хо, 24. … – ре́дко, 25. … – хо́лодно, 26. … – непоня́тно, 27. … – ме́дленно, 28. … – легко́, 29. … – неда́вно, 30. … – до́рого, 31. … – неприя́тно, 32. … – по́здно, 33. … – темно́, 34. … – некраси́во

3. Слу́шаем, чита́ем и перево́дим диало́ги.

1

Что ты перево́дишь?

Ничего́.

А что ты де́лаешь?

Я уже́ учу́ но́вые слова́.

Молоде́ц! А я ду́мал, что ты ещё перево́дишь.

2

Я хочу́ спроси́ть!

Да, пожа́луйста.

Что э́то сло́во зна́чит по-ру́сски?

Како́е? Э́то? Article? По-ру́сски э́то зна́чит «статья́».

3

Учи́тельница объясня́ла сего́дня э́то пра́вило на уро́ке?

Нет, не объясня́ла.

А ты его́ понима́ешь?

Да, я чита́л уче́бник и тепе́рь отли́чно всё понима́ю.

4

Почему́ ты говори́шь по-ру́сски так ме́дленно?

Мне тру́дно. Я говорю́ по-ру́сски о́чень ре́дко.

А почему́ так ти́хо?

Я всегда́ говорю́ ти́хо. По-англи́йски то́же.

5

Ты опя́ть ничего́ не де́лаешь?

Почему́? Я перевожу́ предложе́ния.

Каки́е предложе́ния?

Вот, в уче́бнике.

6

Тебе́ не жа́рко?

Нет, мне хо́лодно. А тебе́ что, жа́рко?

Да, мне жа́рко. А ещё я хочу́ есть, пить и спать!

7

Ти́хо! Что ты так гро́мко говори́шь?

Я гро́мко говорю́? Я говорю́ абсолю́тно норма́льно. Э́то ты говори́шь сли́шком ти́хо.

Я говорю́ сли́шком ти́хо? Я абсолю́тно норма́льно говорю́!

8

Извини́те, вы говори́те по-ру́сски?

Да, говорю́, но о́чень пло́хо.

Но вы немно́го понима́ете по-ру́сски?

Я понима́ю, но то́лько когда́ говоря́т ме́дленно.

9

Приве́т! Ты где вчера́ была́? Я тебе́ звони́ла!

Когда́? Ве́чером?

Да.

Ве́чером я была́ в магази́не.

Что купи́ла?

Абсолю́тно ничего́!

4. Составля́ем из двух предложе́ний одно́.

Он всё понима́ет. Он слу́шает на уро́ке. →
Он всё понима́ет, **потому́ что** слу́шает на уро́ке.

1. Он чита́ет бы́стро. Он не уме́ет чита́ть ме́дленно. 2. Она́ чита́ет ме́дленно. Она́ не уме́ет чита́ть бы́стро. 3. Он говори́т гро́мко. Он не уме́ет говори́ть ти́хо. 4. Он говори́т ти́хо. Он не уме́ет говори́ть гро́мко.

7 УРОК МЕ́ДЛЕННО И ГРО́МКО и́ли БЫ́СТРО И ТИ́ХО?

 1. 1) Слу́шаем. 2) Чита́ем и перево́дим.

МЕ́ДЛЕННО И ГРО́МКО и́ли БЫ́СТРО И ТИ́ХО?

Ученики́ сидя́т на уро́ке в кла́ссе. Э́то – ру́сский язы́к. На уро́ке ученики́ чита́ют те́ксты, пи́шут упражне́ния, перево́дят слова́ и говоря́т по-ру́сски. Сейча́с молода́я учи́тельница объясня́ет им но́вое пра́вило. Она́ объясня́ет, что зна́чит вини́тельный паде́ж. Она́ де́лает э́то уже́ це́лый час. Учи́тельница говори́т по-ру́сски гро́мко и ме́дленно. Все ученики́ сидя́т, слу́шают, но ничего́ не понима́ют. «Вы всё понима́ете?» – спроси́ла учи́тельница. «Да», – отве́тили ученики́.

Тепе́рь ученики́ чита́ют текст. Сейча́с чита́ет Марк. Марк чита́ет бы́стро, но о́чень ти́хо. Учи́тельница спроси́ла: «Марк, я хочу́ спроси́ть, почему́ ты чита́ешь так ти́хо?» Марк чита́ет ещё одно́ предложе́ние. Тепе́рь он чита́ет гро́мко, но о́чень ме́дленно. Учи́тельница опя́ть спроси́ла: «Марк, ничего́ не понима́ю, почему́ ты тепе́рь чита́ешь так ме́дленно? Мо́жешь мне отве́тить?» Марк не мо́жет отве́тить. Но он чита́ет опя́ть. Тепе́рь он чита́ет предложе́ние бы́стро и гро́мко. «Молоде́ц! Спаси́бо, Марк, тепе́рь ты чита́ешь отли́чно», – говори́т учи́тельница.

3) Найдём и прочита́ем предложе́ние, в кото́ром говори́тся,

а) где сидят дети;
б) что делают ученики на уроке;
в) что объясняет учительница;
г) как учительница говорит по-русски;
д) что ученики не понимают, что объясняет учительница.

4) Послушаем запись и скажем правильно.

5) Отвечаем на вопросы.

1. Кто сидит на уроке в классе?
2. Где сидят ученики?
3. Какой это урок?
4. Что ученики делают на уроке?
5. Кто объясняет новое правило?
6. Что делает учитель?
7. Кто говорит медленно и громко?
8. Как говорит учитель?

9. Кто сидит и слушает?
10. Что делают ученики?
11. Что читают ученики?
12. Кто сейчас читает текст?
13. Что сейчас делает Марк?
14. Как читает Марк?
15. Что говорит ему учитель?
16. Как теперь читает Марк?
17. Что говорит учитель?

6) Говорим в прошедшем времени.

Вчера ученики были на уроке в классе. Это был русский язык. Мы читали…

7) Дополни мейл подходящими словами: а) если тебе нравится учиться и у тебя всё получается; б) если тебе не нравится учиться.

1) люблю / не люблю
2) интересно / неинтересно
3) плохо / хорошо
4) медленно / быстро

5) понятно / непонятно
6) понимаю / не понимаю
7) всё понимают / ничего не понимают
8) трудно / легко

Кому:

Тема:

Привет, Алексей!

Ты спрашивал, как я учусь и как мой русский язык. Отвечаю.

Я очень 1) … учиться. Я думаю, что учиться 2) … .

Я учу русский язык три года и говорю по-русски очень 3) … .

Я 4) … читаю и 5) … говорю.

Я 6) … правила. Все ученики в классе тоже 7) … .

Учиться очень 8) … !

Пока! Пиши, как ты.

Карл.

8 УРОК МЫ ПОВТОРЯЕМ ДИАЛОГ

  А Я У́ЧИМ СЛОВА́:

диало́г	замеча́ние	проверя́ть
повторя́ть	по́мнить	оши́бка
обы́чно	звоно́к	ско́ро
сосе́д	переме́на	контро́льная рабо́та
		отвеча́ть на вопро́сы

повторя́ть

Я ПОВТОРЯ́Ю	МЫ ПОВТОРЯ́ЕМ
ТЫ ПОВТОРЯ́ЕШЬ	ВЫ ПОВТОРЯ́ЕТЕ
ОН/ОНА ПОВТОРЯ́ЕТ	ОНИ ПОВТОРЯ́ЮТ

проверя́ть

Я ПРОВЕРЯ́Ю	МЫ ПРОВЕРЯ́ЕМ
ТЫ ПРОВЕРЯ́ЕШЬ	ВЫ ПРОВЕРЯ́ЕТЕ
ОН/ОНА ПРОВЕРЯ́ЕТ	ОНИ ПРОВЕРЯ́ЮТ

по́мнить

Я ПО́МНЮ	МЫ ПО́МНИМ
ТЫ ПО́МНИШЬ	ВЫ ПО́МНИТЕ
ОН/ОНА ПО́МНИТ	ОНИ ПО́МНЯТ

1. Знако́мимся! Но́вые слова́.

 2.2

2. Слу́шаем, чита́ем и перево́дим диало́ги.

1
— Ты не зна́ешь, кото́рый час? Ско́ро переме́на?
— Нет, не зна́ю. Ду́маю, что ско́ро.

2
— Ты понима́ешь э́то пра́вило?
— Да, понима́ю. Учи́тельница вчера́ его́ объясня́ла.
— А я ничего́ не понима́ю!

3
— Звоно́к уже́ был?
— Звоно́к уже́ давно́ был! Ты опозда́л. Ско́ро уже́ переме́на.

4
— Меня́ вчера́ на уро́ке спроси́ли.
— И что?
— Я отли́чно отве́тила и получи́ла пять!
— Молоде́ц!

5
— Сего́дня контро́льная рабо́та. Ты повторя́л слова́?
— Ты зна́ешь, обы́чно я повторя́ю, но вчера́ ве́чером я так уста́л, что ничего́ не повторя́л!

6
— Ти́хо! Почему́ ты так гро́мко говори́шь на уро́ке?
— Мне неинтере́сно. Я ничего́ не понима́ю.

7

Что вы де́лали вчера́ на уро́ке?

Мы проверя́ли оши́бки и чита́ли но́вые диало́ги.

И всё?

Нет, ещё переводи́ли слова́ и предложе́ния.

8

Приве́т! Ты меня́ по́мнишь?

Приве́т! Извини́, не по́мню.

10

Когда́ у вас кани́кулы?

Уже́ ско́ро.

9

Смотри́, здесь оши́бка.

Спаси́бо, тепе́рь ви́жу. Э́то потому́, что я ещё не проверя́л.

11

Твой сосе́д так мно́го говори́т на уро́ке!

Да, я де́лаю ему́ замеча́ние, но он не слу́шает. Не зна́ю, что де́лать!

3. Составля́ем диало́ги.

А: Что вы сегодня делали на уроке?
А: Плохо. А на вопросы вы тоже отвечали?
А: У тебя были ошибки?
А: Это всё?

Б: Да, были.
Б: Нет, не отвечали.
Б: Нет, не всё. Ещё учитель проверял ошибки.
Б: Мы читали новый диалог и переводили предложения.

1

А: Привет, Паша! Ты помнишь, что завтра контрольная работа?
А: Целый день.
А: Я уже повторила все новые правила.
А: Молодец!

Б: А я обычно быстро учу.
Б: Привет, Лена! Спасибо, что сказала!
Б: Сколько ты обычно учишь правила?

2

А: Вова, пожалуйста, тихо! Почему ты так громко говоришь?
А: Ну и что? Скоро уже звонок на урок!
А: Потому что у тебя были ошибки.
А: Ты получил два.
А: Да, проверил.

Б: А вы проверили наши контрольные работы?
Б: Ольга Петровна, сейчас перемена!
Б: Почему?
Б: И что я получил?

3

А: Ты понимаешь этот текст?
А: Да. Я сижу и жду каникулы.
А: А я ничего не понимаю.
А: Я вчера не слушал учительницу и получил замечание.

Б: Почему?
Б: Опять не слушал?
Б: Каникулы уже скоро!
Б: Да, учительница вчера всё объяснила.

4

А: Привет, Кира! Тебя учитель вчера спрашивал?
А: Молодец! А ошибки были?
А: И что ты получила?
А: Ты хорошо ответила?

5

Б: Только одна ошибка!
Б: Да, я хорошо ответила.
Б: Да, спрашивал.
Б: Пять.

4. а) Чита́ем текст.

МЕНЯ́ ЗОВУ́Т РИ́ТА

Меня́ зову́т Ри́та. Я ра́ньше никогда́ не опа́здывала, но вчера́ я о́чень уста́ла, вста́ла сего́дня по́здно и опозда́ла. Э́то пло́хо, потому́ что тепе́рь учи́тель де́лает мне замеча́ние.

На уро́ке я всегда́ слу́шаю, что говори́т и объясня́ет учи́тель. Когда́ учи́тель спра́шивает, я отвеча́ю. Е́сли я не понима́ю сло́во, я спра́шиваю, что э́то сло́во зна́чит, и учи́тель объясня́ет мне.

Ру́сский язы́к о́чень тру́дный. Я учу́ ру́сский язы́к ка́ждый день. Я учу́сь говори́ть, писа́ть и чита́ть по-ру́сски. Когда́ мои́ ру́сские друзья́ говоря́т бы́стро, я ча́сто пло́хо их понима́ю. Они́ повторя́ют ещё раз, и я всё понима́ю.

б) Расска́зываем о Ри́те.

Э́то де́вочка. Её зову́т Ри́та. На уро́ке она́ … (*слу́шать*), что … (*говори́ть*) учи́тель. Когда́ учи́тель … (*спра́шивать*), она́ … (*отвеча́ть*). Е́сли она́ не … (*понима́ть*) слова́, она́ … (*спра́шивать*), а учи́тель … (*объясня́ть*). Обы́чно она́ … (*знать*) слова́, потому́ что … (*учи́ть*) их до́ма. Она́ … (*учи́ть*) ру́сский язы́к ка́ждый день. Она́ … (*уме́ть*) говори́ть, писа́ть, чита́ть по-ру́сски. Но когда́ её друзья́ … (*говори́ть*) по-ру́сски о́чень бы́стро, она́ пло́хо их … (*понима́ть*). Они́ … (*повторя́ть*) ещё раз и она́ всё … (*понима́ть*).

9 УРОК КОГДА́ УЖЕ́ КАНИ́КУЛЫ?

1. Узнаём сло́во.

2. 1) Слу́шаем. 2) Чита́ем и перево́дим.

КОГДА́ УЖЕ́ КАНИ́КУЛЫ?

Э́то ру́сский язы́к. Что мы де́лаем на уро́ке? Мы чита́ем и́ли слу́шаем диало́ги, перево́дим ру́сские предложе́ния. Учи́тельница ча́сто объясня́ет нам пра́вила. А мы сиди́м и слу́шаем её. Иногда́ мы чита́ем и перево́дим те́ксты и отвеча́ем на вопро́сы. Но́вые слова́ мы обы́чно у́чим до́ма, а на уро́ке мы повторя́ем ста́рые слова́. Я не хочу́ повторя́ть слова́, потому́ что я не учу́ их до́ма!

Вот Марк, мой сосе́д. Он у́чится о́чень хорошо́. Он лю́бит на уро́ке повторя́ть слова́, потому́ что у́чит их до́ма. Вчера́ он получи́л пять. Сего́дня он опя́ть хо́чет отве́тить. Но учи́тель не спра́шивает его́. Он зна́ет, что Марк – молоде́ц. Учи́тель, коне́чно, хо́чет спроси́ть меня́, потому́ что зна́ет, что я не учу́ до́ма слова́.

> Карл, ты хо́чешь отве́тить?

> Нет, О́льга Петро́вна, я хочу́ спроси́ть, что зна́чит это сло́во.

Учи́тельница де́лает мне замеча́ние:

> Пло́хо, Карл, что ты не зна́ешь э́то сло́во.

> Извини́те, я не по́мню!

> Э́то потому́, что ты вчера́ опозда́л.

Хорошо́, что у меня́ сосе́д Марк. Он всё по́мнит и тепе́рь объясня́ет мне, что зна́чит э́то сло́во. Иногда́ мы на уро́ке игра́ем и смо́трим кино́. Тогда́ на уро́ке о́чень интере́сно и мне нра́вится учи́ть ру́сский язы́к. Сего́дня мы це́лый уро́к проверя́ем дома́шнее зада́ние и исправля́ем оши́бки. Тепе́рь Марк смо́трит и говори́т: «Смотри́, у тебя́ здесь оши́бка, и здесь оши́бка».

За́втра контро́льная рабо́та. Я не хочу́ де́лать контро́льную рабо́ту. Я уста́л. Хорошо́, что ско́ро звоно́к и переме́на! На переме́не мы игра́ем и отдыха́ем. А пото́м опя́ть уро́к. Ох, когда́ же́ кани́кулы?!

3) Найдём и прочита́ем предложе́ние, в кото́ром говори́тся, ...

а) что дети делают на уроке;

б) где дети обычно учат новые слова;

в) как учится Марк;

г) что любит делать Марк на уроке;

д) что (какую оценку) Марк вчера получил;

е) что иногда делают дети на уроке;

ж) что учитель знает, что Карл не учит дома слова;

з) что Карл хочет спросить, что значит слово;

и) что учительница делает замечание;

к) что Карл не помнит слово;

л) что дети иногда делают на уроке;

м) что делали сегодня целый урок.

 4) Послу́шаем за́пись и ска́жем пра́вильно.

5) Отвеча́ем на вопро́сы.

1. На како́м уро́ке сидя́т ученики́?
2. Что де́лают де́ти на уро́ке?
3. Что де́ти перево́дят?
4. Что де́лает учи́тельница?
5. Что де́лают ученики́, когда́ учи́тельница объясня́ет пра́вило?
6. Где де́ти у́чат но́вые слова́, а где повторя́ют ста́рые?
7. Как у́чится Марк?
8. Что лю́бит де́лать Марк? Почему́?
9. Каку́ю оце́нку получи́л вчера́ Марк?
10. Что де́ти де́лали це́лый уро́к?
11. Что де́лают де́ти на переме́не?
12. Что де́ти иногда́ де́лают на уро́ке?

6) Расска́зываем в проше́дшем вре́мени.

Э́то был ру́сский язы́к. Что мы де́лали на уро́ке?...

7) Опиши картинки. Как ты думаешь, что делают ученики и учитель?

1. Где ученики и учитель?
2. Что учат ученики?
3. Что делает ученица?
4. Что делает ученик?

5. Что делает учитель?
6. Что ты видишь на столе?
7. Что ты видишь на доске?

8) Рассказываем, что мы обычно делаем на уроке русского языка.

1. Что вы обычно делаете на уроке русского языка? 2. Что делает учительница?
3. Что вы переводите на уроке? 4. Что вы учите дома, а что – на уроке? 5. Что вам нравится делать на уроке? 6. Какие новые слова вы учили в последний раз?
7. Какие падежи вы знаете?

10 УРОК ПРОВЕРЯЕМ, ЧТО МЫ ЗНАЕМ

 ЦИФРОВАЯ СРЕДА

 2.1. Составь диалог: Школьный день.

 2.2. Найди пару антонимов. Хорошо́ и́ли пло́хо? Послу́шай, как произно́сится.

 2.3. Мой школьный день. Вы́бери пра́вильную фо́рму.

 2.4. Вы́бери пра́вильный вариа́нт.

5. Де́лаем зада́ние и проверя́ем себя́.

Как они́ **говоря́т / говори́т**? **Ти́хо.** / **Ско́ро.** → Как они́ **говоря́т**? **Ти́хо.**

1. Как он **чита́ют / чита́ет**? **Опя́ть.** / **Бы́стро**. 2. Как мы **у́читесь / у́чимся**? **Хорошо́.** / **Тепе́рь**. 3. Ты **по́мните / по́мнишь** но́вые слова́? **Я не помню́ / не по́мнит**. 4. Ты **повторя́ешь / повторя́ем** но́вое пра́вило? Нет, я **повторя́ю / повторя́ете** но́вый диало́г. 5. Что **де́лает / де́лают** учи́тель? Он **проверя́ют / проверя́ет** оши́бки. 6. Что **объясня́ет / объясня́ете** учи́тельница? Она́ **ничего́ / гро́мко** не объясня́ет. 7. Что вы обы́чно **де́лаешь / де́лаете** ве́чером? Обы́чно мы **де́лаете / де́лаем** дома́шние зада́ния. 8. Что они́ **де́лают / де́лаем** на уро́ке? Они́ **отвеча́ют / отвеча́ем** на вопро́сы. 9. Что она́ **перево́дишь / перево́дит**? **Предложе́ние. / Переме́на**. 10. Почему́ вы **говори́м / говори́те** ме́дленно? Мы пло́хо **зна́ем / зна́ете** ру́сский язы́к. 11. Вы **проверя́ет / проверя́ете** контро́льную рабо́ту? Нет, мы **проверя́ет / проверя́ем** дома́шнее зада́ние.

6. Слу́шаем, повторя́ем, перево́дим.

7. Слова́рная рабо́та 2. **8. Прове́рочная рабо́та 2.**

9. Дикта́нт 2.

11 УРОК В КАКО́Й ДЕНЬ НЕДЕ́ЛИ?

Давай теперь научимся отвечать на вопросы: *В какой день недели? Когда?* Для этого надо добавить предлог **В** к уже тебе известным и немного изменённым дням недели.

3.1

ЧТО? КАКО́Й ДЕНЬ НЕДЕ́ЛИ?	КОГДА? В КАКО́Й ДЕНЬ НЕДЕ́ЛИ?
ПОНЕДЕ́ЛЬНИК	**В** ПОНЕДЕ́ЛЬНИК
ВТО́РНИК	**ВО** ВТО́РНИК
СРЕДА́	**В** СРЕ́ДУ
ЧЕТВЕ́РГ	**В** ЧЕТВЕ́РГ
ПЯ́ТНИЦА	**В** ПЯ́ТНИЦУ
СУББО́ТА	**В** СУББО́ТУ
ВОСКРЕСЕ́НЬЕ	**В** ВОСКРЕСЕ́НЬЕ

Е́сли день неде́ли мужско́го и́ли сре́днего ро́да, то оконча́ние не меня́ется:

понеде́льник → в понеде́льник
вто́рник → во вто́рник
четве́рг → в четве́рг
воскресе́нье → в воскресе́нье

Е́сли день неде́ли же́нского ро́да, то оконча́ние меня́ется:

среда́ → в сре́ду
пя́тница → в пя́тницу
суббо́та → в суббо́ту

$$A \rightarrow У$$

А Я УЧИМ СЛОВА́:

позавчера́
послеза́втра

рисова́ть

гото́вить еду́

ежедне́вник

рисова́ть	
Я РИСУ́Ю	МЫ РИСУ́ЕМ
ТЫ РИСУ́ЕШЬ	ВЫ РИСУ́ЕТЕ
ОН/ОНА́ РИСУ́ЕТ	ОНИ́ РИСУ́ЮТ

гото́вить	
Я ГОТО́ВЛЮ	МЫ ГОТО́ВИМ
ТЫ ГОТО́ВИШЬ	ВЫ ГОТО́ВИТЕ
ОН/ОНА́ ГОТО́ВИТ	ОНИ́ ГОТО́ВЯТ

1. Знако́мимся! Но́вые слова́.

2. Чита́ем шу́тки. Заменя́ем вы́деленные слова́ и расска́зываем шу́тки.

В понеде́льник я был **в кино́**. → В понеде́льник я был **в теа́тре**.

Учи́тель говори́т: «Дороги́е де́ти! Что вы де́лали в понеде́льник, во вто́рник, в сре́ду, в четве́рг, в пя́тницу, в суббо́ту и в воскресе́нье?»
Все ученики́ пи́шут: «В понеде́льник я был **в кино́**, во вто́рник я **гото́вил до́ма еду́**, в сре́ду был в магази́не и купи́л **руба́шку**, в четве́рг **я рисова́л**, в пя́тницу я **чита́л кни́гу**, в суббо́ту я был **в кафе́**, в воскресе́нье я це́лый день **учи́лся**…» Во́вочка пи́шет: «В понеде́льник па́па купи́л в магази́не большу́ю **ры́бу**. Мы её е́ли в понеде́льник, во вто́рник, в сре́ду, в четве́рг, в пя́тницу, в суббо́ту и в воскресе́нье».

Вовочка

2

Молода́я жена́ говори́т: «Я тебя́ не понима́ю, дорого́й! В понеде́льник ты говори́л, что лю́бишь **пельме́ни**. Ты ел **пельме́ни** в понеде́льник, во вто́рник, в сре́ду, в четве́рг, в пя́тницу, в суббо́ту… А в воскресе́нье ты сказа́л, что ты не лю́бишь **пельме́ни**!»

3. Чита́ем стихотворе́ние (по П. Башмако́ву). Кто чита́ет быстре́е и лу́чше?

В понеде́льник я чита́л,
А во вто́рник отдыха́л.
В сре́ду ел, сиде́л и спал.
В четве́рг в шко́лу опозда́л.
В пя́тницу смотре́л кино́,
Не понра́вилось оно́.
Не учи́лся я в суббо́ту,
Не ходи́л я на рабо́ту.
В воскресе́нье так уста́л,
Что весь день я отдыха́л.
Запишу́ я в ежедне́вник:
«За́втра сно́ва понеде́льник!»

4. Прове́рь свою́ ло́гику.

Сего́дня не понеде́льник, а за́втра не четве́рг. Вчера́ была́ не суббо́та, а позавчера́ был не вто́рник. За́втра не понеде́льник и не вто́рник. Послеза́втра не воскресе́нье и не понеде́льник. Вчера́ был не вто́рник и не четве́рг. Позавчера́ был не четве́рг, да и сего́дня не четве́рг.

Како́й сего́дня день неде́ли?

5. Смо́трим на ежедне́вник Ма́ртина. Где и в како́й день неде́ли он был?

В понеде́льник
Ма́ртин был …

ПОНЕДЕЛЬНИК
ПОЛИКЛИНИКА, АПТЕКА

ВТОРНИК
БОЛЬНИЦА

СРЕДА
РЫНОК

ЧЕТВЕРГ
ТРЕНИРОВКА, МАГАЗИН

ПЯТНИЦА
БИБЛИОТЕКА, УНИВЕРСИТЕТ

СУББОТА
ЦЕРКОВЬ

ВОСКРЕСЕНЬЕ
СТАДИОН, ДОМА

6. Игра́ «Сне́жный ком». Спра́шиваем: «Где ты был?» и отвеча́ем.

В понеде́льник я была́ в шко́ле.
А где ты был в понеде́льник?

В понеде́льник, когда́ ты была́
в шко́ле, я был в теа́тре.
Во вто́рник я был на рабо́те,
а где ты был во вто́рник?

Во вто́рник, когда́ ты был
на рабо́те, я был в о́фисе.
В сре́ду я был на стадио́не.
А где ты был в четве́рг?

РЕСТОРА́Н	У́ЛИЦА
ПАРКО́ВКА	ДЕ́РЕВО
ГОСТИ́НИЦА	БОЛЬНИ́ЦА
ЦЕ́РКОВЬ	РЕКА́
О́ФИС	РЫ́НОК
КАФЕ́	МАШИ́НА
УНИВЕРСИТЕ́Т	МАГАЗИ́Н
СТАДИО́Н	БИБЛИОТЕ́КА
АЭРОПО́РТ	МУЗЕ́Й
АПТЕ́КА	СУПЕРМА́РКЕТ
БАНК	РАБО́ТА
ТЕА́ТР	ШКО́ЛА

12 УРОК КТО СКАЗА́Л НЕПРА́ВИЛЬНО?

1. Прове́рь свою́ ло́гику.

КТО СКАЗА́Л НЕПРА́ВИЛЬНО?

Де́ти говори́ли, како́й сего́дня день неде́ли. Ма́льчик Влади́мир сказа́л, что послеза́втра бу́дет воскресе́нье. Де́вочка О́льга сказа́ла, что вчера́ был вто́рник. Ма́льчик Рома́н сказа́л, что за́втра бу́дет суббо́та. Де́вочка Мари́на сказа́ла, что позавчера́ был понеде́льник. Де́вочка Жа́нна сказа́ла, что сего́дня среда́. Три ребёнка сказа́ли пра́вильно, а два – непра́вильно. Кто сказа́л непра́вильно?

ПОЗАВЧЕРА
ВЧЕРА
СЕГОДНЯ
ЗАВТРА
ПОСЛЕЗАВТРА

Вчера был вторник.
Ольга

Владимир
Послезавтра воскресенье.

Роман
Завтра суббота.

Позавчера был понедельник.
Марина

Жанна
Сегодня среда.

2. Расска́зываем, что и в како́й день неде́ли де́лали лю́ди.

понедельник	вторник	среда	четверг	пятница	суббота	воскресенье
Сергей	Оля	Андрей	Мария	Инна Михайловна	Валера	ребёнок

3. Слу́шаем, что и в како́й день неде́ли де́лали де́ти.

1. В четве́рг ма́льчик был в …, а де́вочка была́ в … .
2. … 3. … 4. … 5. … 6. …

4. Отвеча́ем на вопро́сы.

1. В како́й день неде́ли у тебя́ в шко́ле ру́сский язы́к?

2. В како́й день неде́ли у тебя́ англи́йский язы́к?

3. У тебя́ есть трениро́вки? Е́сли есть, то в каки́е дни неде́ли?

4. В каки́е дни неде́ли ты у́чишься?

5. В каки́е дни неде́ли рабо́тают твои́ роди́тели?

6. В каки́е дни неде́ли ты отдыха́ешь?

ЦИФРОВА́Я СРЕДА́

3.1. Вы́бери пра́вильную фо́рму.

3.2. Е́сли сего́дня среда́, то за́втра… .
Найди́ пра́вильную па́ру.

3.3. Составь диалог: Давай встретимся!

3.4. Вы́бери пра́вильную фо́рму.

13 УРОК МОЯ́ РАБО́ЧАЯ НЕДЕ́ЛЯ

 У́ЧИМ СЛОВА́:

забы́ть
де́ло
рабо́чий

убира́ть кварти́ру

гуля́ть

1. Слу́шаем текст. Де́лаем заме́тки. Расска́зываем по поря́дку, что де́лал и где был ма́льчик. Начни́ так:

В понеде́льник …

МОЯ́ РАБО́ЧАЯ НЕДЕ́ЛЯ

Что я де́лал в понеде́льник? В понеде́льник я был в шко́ле и учи́лся. Я учи́лся в понеде́льник, во вто́рник, в сре́ду и в пя́тницу. В четве́рг я не́ был в шко́ле, потому́ что я был в библиоте́ке. Ещё в понеде́льник я был на трениро́вке. Во вто́рник я был не то́лько в шко́ле, но и в поликли́нике. Я пло́хо по́мню, что де́лал в сре́ду. По́мню, что гуля́л в па́рке. В сре́ду бы́ло о́чень хо́лодно на у́лице. В суббо́ту я убира́л кварти́ру.

Я убира́ю кварти́ру не ка́ждый день, а то́лько в суббо́ту, когда́ выходно́й день. Да, ещё позавчера́ ве́чером я был в кафе́. В воскресе́нье я обы́чно у́тром в це́ркви. Вчера́ я то́же был в це́ркви. Ещё я по́мню, что в воскресе́нье я купи́л в суперма́ркете еду́. Мой друг сейча́с в больни́це, ве́чером я был у него́ в больни́це.

Да, ещё я забы́л сказа́ть, что я де́лал в пя́тницу. В пя́тницу моя́ семья́ была́ в рестора́не, но я не́ был, потому́ что я был в музе́е. А тепе́рь ты мо́жешь отве́тить, како́й сего́дня день неде́ли?

2. Расска́зываем о себе́, где мы бы́ли и что де́лали на про́шлой неде́ле.

1. Что ты де́лал(а) в понеде́льник? 2. Что ты де́лал(а) во вто́рник?
3. Когда́ ты гуля́л(а) с соба́кой? 4. Когда́ ты убира́л(а) кварти́ру и́ли ко́мнату?
5. Како́й сего́дня день неде́ли? 6. Что ты де́лал(а) в выходны́е дни?

3. Узнаём сло́во.

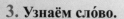

14 УРОК ВСТРЕ́ТИМСЯ В ПОНЕДЕ́ЛЬНИК!

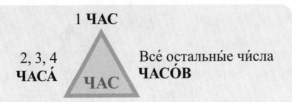

1 ЧАС

2, 3, 4 ЧАСА́

ЧАС

Всё остальны́е чи́сла **ЧАСО́В**

Фо́рма сло́ва **час** меня́ется в зави́симости от числа́, к кото́рому оно́ отно́сится. Посмотри́ на «маги́ческий треуго́льник».

КОТО́РЫЙ ЧАС?

Сейча́с час.
Сейча́с два часа́.
Сейча́с пять часо́в.

Для того́ чтобы отве́тить на вопро́с «В кото́ром часу́?», на́до перед числи́тельным доба́вить предло́г **В.**

В КОТО́РОМ ЧАСУ́?

Встре́тимся в час.
Встре́тимся в два часа́.
Встре́тимся в пять часо́в.

1. Слу́шаем диало́ги, чита́ем и перево́дим.

> **Алло́!**
>
> **Приве́т! Давно́ тебя́ не ви́дела.**
>
> **Приве́т!**
>
> **Дава́й за́втра встре́тимся!**
>
> **За́втра? А како́й за́втра день неде́ли?**
>
> **За́втра среда́.**
>
> **Нет, в сре́ду я не могу́.**
>
> **А в четве́рг?**
>
> **В четве́рг я могу́. Дава́й встре́тимся в четве́рг. А где?**
>
> **В кафе́ «Ве́рнер».**
>
> **Отли́чно, а когда́?**
>
> **Всё равно́. Когда́ ты хо́чешь?**
>
> **Ве́чером.**
>
> **В семь и́ли в во́семь часо́в?**
>
> **В семь ещё ра́но. Дава́й в во́семь!**
>
> **Договори́лись. За́втра в во́семь в кафе́ «Ве́рнер».**
>
> **Да, договори́лись.**

2

Что ты де́лаешь в суббо́ту? Дава́й встре́тимся.

В суббо́ту я не могу́, дава́й в пя́тницу.

Дава́й. В кото́ром часу́?

Ве́чером в четы́ре.

В четы́ре не могу́. Я ещё учу́сь.

А в воскресе́нье?

В воскресе́нье у меня́ трениро́вка.

Поня́тно. Зна́чит, мы не встре́тимся…

3

Дава́й встре́тимся!

Когда́?

В сре́ду.

В кото́ром часу́?

В де́вять часо́в.

Так ра́но! Дава́й в двена́дцать часо́в!

Я ра́но встаю́.

А я – о́чень по́здно.

Ну ла́дно, дава́й в двена́дцать!

Отли́чно! Договори́лись. Встре́тимся за́втра!

Пока́!

4

Я так давно́ тебя́ не ви́дела! Когда́ встре́тимся?

Дава́й в пя́тницу!

В кото́ром часу́?

Мо́жет, в два?

В два сли́шком ра́но. Дава́й лу́чше в пять часо́в.

Хорошо́. А где?

В па́рке.

Договори́лись.

5

Встре́тимся в четве́рг в час?

Нет, в час я не могу́. В час я ещё учу́сь. А в три у меня́ уже́ трениро́вка.

Тогда́ дава́й в четы́ре.

Я могу́ в пять. Где встре́тимся?

Всё равно́.

Дава́й тогда́ тут и встре́тимся.

Хорошо́. Договори́лись.

6

Привет!

Привет!

Можешь говорить?

Нет, извини, я очень спешу.

Я быстро. Давай встретимся!

Когда?

В субботу.

В котором часу?

Может, в пять часов?

В пять я не могу.

Почему?

В пять у меня тренировка.

Тогда давай в семь. В семь ты можешь?

Да, в семь.

Хорошо. Договорились. Пока!

Пока!

7

Давай в среду встретимся.

Давай. Где?

В кафе «Пярну».

Хорошо, а когда?

Всё равно. Когда ты хочешь?

Днём.

Может, в три или в четыре?

Давай в шесть! В четыре у меня тренировка.

Нет, в шесть уже слишком поздно. Сейчас в шесть уже темно. Давай тогда в два?

Хорошо, договорились. Завтра в два в кафе «Пярну».

Да, договорились.

8

Когда встретимся?

Давай завтра вечером.

А какой завтра день недели?

Завтра среда.

Хорошо. А когда вечером?

Может, в шесть?

Давай в шесть. А где?

В парке, конечно.

Договорились.

Договорились.

9

Привет!

Привет!

Извини, что опоздал! У меня часы отстают.

Ничего.

Я очень рано встал, много учился, очень устал. У меня есть только 5 минут.

Может, встретимся тогда послезавтра?

Да, давай послезавтра. Извини, сейчас я так хочу есть и спать!

Ничего. Встретимся послезавтра.

10

Алло́! Приве́т! Мо́жешь говори́ть?

Приве́т! Нет, извини́. Я о́чень спешу́.

То́лько 5 мину́т! Я ко́ротко.

Хорошо́.

Дава́й во вто́рник встре́тимся!

Нет, во вто́рник я не могу́.

А в сре́ду?

Хорошо́, в сре́ду в 9 часо́в в о́фисе.

Хорошо́, договори́лись!

2. Слу́шаем диало́ги. Отвеча́ем на вопро́сы.

  25

Диало́г 1:
1. Кто э́то говори́т?
2. Где сейча́с де́вочка, что она́ де́лает?
3. В како́й день неде́ли де́вочки встреча́ются?
4. В како́е вре́мя они́ встреча́ются?
5. Где они́ встреча́ются?

Диало́г 2:
1. Кто э́то говори́т?
2. Что сейча́с де́лает ма́льчик?
3. Что ма́льчик де́лает послеза́втра в три часа́?
4. Како́й сего́дня (в диало́ге) день неде́ли?
5. В како́й день неде́ли они́ встреча́ются?
6. Где они́ встреча́ются?
7. В како́е вре́мя они́ встреча́ются?

3. Составля́ем диало́ги.

А: Встретимся во вторник в час?
А: Хорошо. Договорились.
А: Всё равно.
А: А в два?
А: А в три?
А: А в четыре?
А: А в пять?

Б: Хорошо. Давай в пять. Где встретимся?
Б: Нет. Я не могу. В час я ещё учусь.
Б: В три у меня ещё тренировка.
Б: В два у меня тренировка.
Б: Тогда здесь и встретимся.
Б: В четыре я отдыхаю.

1

А: Здравствуйте! Вы можете говорить?
А: Может, встретимся сегодня вечером?
А: Я быстро! Только пять минут!
А: Значит, договорились?
А: А послезавтра?
А: А завтра?
А: До свидания!

2

Б: Хорошо. Встретимся послезавтра. До свидания!
Б: Здравствуйте! Извините, нет. Я очень спешу.
Б: Послезавтра, наверное, могу.
Б: Нет, сегодня я не могу.
Б: Завтра тоже не могу.
Б: Хорошо.

А: Давай встретимся!
А: Нормально. Договорились!
А: А я встаю в семь. Так когда тогда встретимся?
А: В субботу.
А: В десять.

3

Б: Хорошо. Давай в субботу. А в котором часу?
Б: Ну давай тогда в двенадцать. Не поздно?
Б: Что? Так рано? Я ещё сплю в десять.
Б: Давай! А когда?

А: Привет, Лара! Я так давно тебя не видел! Давай встретимся!
А: В ресторане «Воскресенье».
А: Так поздно? Давай в восемь!
А: В котором часу?
А: Пока, Лара!

4

Б: Привет, Дима! Давай встретимся в воскресенье!
Б: Договорились! Пока, Дима!
Б: Может, в девять?
Б: Хорошо. А где?

5

А: Что ты делаешь в понедельник? Давай, может, встретимся?
А: А что ты делаешь в выходные дни?
А: Понятно. Значит, мы не встретимся.
А: А в среду тоже учишься?

Б: В понедельник я не могу. Я учусь.
Б: А в выходные я работаю.
Б: Конечно, и в среду тоже.
Б: Значит, не встретимся.

6

А: Здравствуйте! Извините, что я опоздал.
А: А какой послезавтра день недели?
А: Хорошо. Встретимся тогда в четверг.
А: Встретимся тогда завтра?
А: Я встал рано, но у меня часы отстают. Который сейчас час?

Б: Не знаю. У меня часы спешат. Но скоро уже звонок.
Б: Завтра я не могу. Встретимся послезавтра.
Б: Здравствуйте! Ничего.
Б: Четверг.

7

А: Привет! Что ты делаешь в пятницу?
А: Может, в шесть или в семь?
А: Может, встретимся вечером?
А: Давай в кафе «Мэри».

Б: Договорились! Встретимся в пятницу, в семь, в кафе «Мэри».
Б: Привет! Утром учусь, днём работаю, вечером отдыхаю.
Б: Давай в семь! А где встретимся?
Б: Давай встретимся! В котором часу?

4. Ролева́я игра́. Составля́ем диало́ги при по́мощи ка́рточек. Ⓐ

15 УРОК **ПРОВЕРЯ́ЕМ, ЧТО МЫ ЗНА́ЕМ**

 ЦИФРОВА́Я СРЕДА́

 3.5. Выбери правильный вариант. Послушай, как произносится.

 3.6. Сгруппируй слова по одному признаку и собери картинку.

 3.7. Составь диалог: Моя неделя.

3.8. Сгруппируй слова по одному признаку и собери картинку.

 5. Де́лаем зада́ние и проверя́ем себя́.

Кото́рый сейча́с **часа́ / час**? → Кото́рый сейча́с **час**?

1. Что они делали **послезавтра / позавчера**? 2. Они **гуляли / гулял** в парке.
3. Что вы делаете **послезавтра / позавчера**? 4. Мы **убираете / убираем** квартиру.
5. Какой **вчера / завтра** был день недели? **В понедельник. / Понедельник.**
6. Что делает **дети / ребёнок**? 7. Он **рисует / рисуешь большой / большое**
город. 8. Что ты делаешь **вечер / вечером**? 9. Я **готовлю / готовишь** еду.
10. Что ты делала в **рабочий / рабочие** дни? Я **училась / учился** в школе.
11. Что ты делал в **выходные / выходной** дни? Я **убирала / убирал** квартиру.
12. Почему вы **рисуют / рисуете** на парте? 13. Когда у тебя тренировка? **В среду. /
В среда**. 14. Когда родители **отдыхает / отдыхают**? **В суббота. / В субботу.**
15. Встретимся **во вторник / в вторник**. 16. Встретимся в **шесть часов / часа**.

 6. Слу́шаем, повторя́ем, перево́дим.

7. Слова́рная рабо́та 3.   **8. Прове́рочная рабо́та 3.**

  9. Дикта́нт 3.

16 УРОК — ЧТО Я ДЕ́ЛАЮ

всегда́	100%
ча́сто	90%
обы́чно	75%
иногда́	25%
ре́дко	10%
никогда́	0%

А Я — У́ЧИМ СЛОВА́:

заря́дка	начина́ться	ра́дио
зака́нчиваться	обе́дать	у́жинать
встава́ть	пото́м	но́вость
за́втракать	му́зыка	снача́ла

де́лать
заря́дку

ложи́ться спать

принима́ть
душ

ложи́ться спать

Я ЛОЖУ́СЬ СПАТЬ	МЫ ЛОЖИ́МСЯ СПАТЬ
ТЫ ЛОЖИ́ШЬСЯ СПАТЬ	ВЫ ЛОЖИ́ТЕСЬ СПАТЬ
ОН/ОНА́ ЛОЖИ́ТСЯ СПАТЬ	ОНИ́ ЛОЖА́ТСЯ СПАТЬ

встава́ть

Я ВСТАЮ́	МЫ ВСТАЁМ
ТЫ ВСТАЁШЬ	ВЫ ВСТАЁТЕ
ОН/ОНА́ ВСТАЁТ	ОНИ́ ВСТАЮ́Т

1. Знако́мимся! Но́вые слова́.

2. Слу́шаем, чита́ем и перево́дим диало́ги.

1

Алло́!

> Приве́т, что де́лаешь?

Ничего́ осо́бенного.
Слу́шаю му́зыку. А ты?

> А я обе́даю.

2

Алло́, ты где сейча́с?

> Я в го́роде.

Что де́лаешь?

> Гуля́ю.

3

Где ты был? Я звони́л ве́чером.

> Я гуля́л.

Дава́й встре́тимся!

> Нет, уже́ сли́шком по́здно.
> Я уже́ ложу́сь спать.

4

До́брое у́тро!

> До́брое у́тро!

Что де́лаешь?

> Я де́лаю заря́дку. А ты?

Я то́лько вста́ла.

5

Когда́ у тебя́ зака́нчиваются уро́ки?

> Сего́дня о́чень по́здно.

Ты сего́дня обе́даешь в шко́ле?

Не зна́ю то́чно. Но о́чень хочу́ есть,
потому́ что я сего́дня не за́втракал.

6

До́брый ве́чер!

> До́брый ве́чер!

Что де́лаешь?

> Я при́нял душ
> и уже́ ложу́сь спать. А ты?

Я ещё то́лько у́жинаю.

7

Ты что де́лаешь?

> Слу́шаю ра́дио.

Слу́шаешь ра́дио? У нас то́лько
ба́бушка слу́шает ра́дио!

> Я слу́шаю му́зыку!

Тогда́ поня́тно.

8

Приве́т!

> Приве́т!

Мо́жешь говори́ть?

> Извини́, не могу́.
> Я смотрю́ но́вости.

А я гуля́ю.

3. Составля́ем диало́ги.

1

А: Привет, Нина? Что делаешь?
А: Нет. У меня скоро тренировка.
А: Давай! В двенадцать?
А: А я уже завтракаю.
А: В одиннадцать.

Б: А когда заканчивается тренировка?
Б: Привет, Мия! Я делаю зарядку.
Б: Может, тогда встретимся?
Б: Хорошо. Договорились!
Б: Ты делала зарядку?

2

А: Когда у тебя начинаются уроки?
А: А у меня в три часа. Ты обедаешь в школе?
А: А у меня в девять. А когда у тебя заканчиваются уроки?
А: Я тоже обедаю всегда в школе, только в час. А где ты ужинаешь?

Б: Да. Я обедаю всегда в школе в двенадцать часов.
Б: Ужинаю я, конечно, всегда дома.
Б: В восемь. А у тебя?
Б: В два часа.

3

А: В котором часу ты обычно встаёшь?
А: Значит, ты спишь 9 часов. Ну, это нормально.
А: Двенадцать. Ложусь спать в восемь, и встаю в восемь.
А: Так рано? А в котором часу ты ложишься спать?

Б: Ложусь спать я обычно в десять часов.
Б: А ты обычно сколько часов спишь?
Б: Я обычно встаю в семь часов.

4

А: Привет, Максим! Можешь говорить?
А: Давай потом встретимся?
А: А я гуляю и слушаю музыку. А когда новости закончатся?

Б: Привет, Марк! Нет, я смотрю новости. Извини!
Б: Нет. Уже слишком поздно. Встретимся завтра!
Б: Не знаю. Наверно, в десять часов.

5. Расска́зываем, что де́лали лю́ди.

В час Ми́ша ел, в три он учи́лся, в пять был в кафе́…

---

6. Прове́рь свою́ ло́гику.

Когда́ мы ви́дим «два», а говори́м «де́сять»?

Éсли Ди́я живёт в Хе́льсинки, а Ни́я – в Та́ллине, то где живёт Си́я?

7. Собира́ем ка́рточки.

17 УРОК А Э́ТО МОЙ ДЕНЬ

1. Слу́шаем, чита́ем и отвеча́ем на вопро́сы.

РОМА́Н: Э́ТО МОЙ ДЕНЬ

Обы́чно я встаю́ у́тром в 7 часо́в и де́лаю небольшу́ю у́треннюю заря́дку. Пото́м я умыва́юсь, одева́юсь и за́втракаю. Уро́ки начина́ются у нас по́здно, в 9 часо́в. Я всегда́ обе́даю в шко́ле и пото́м ещё раз до́ма. Зака́нчиваются уро́ки в 2 часа́. В 3 часа́ я обы́чно уже́ до́ма.

До́ма я отдыха́ю, ча́сто слу́шаю му́зыку и́ли игра́ю на компью́тере. Пото́м я де́лаю дома́шнее зада́ние, учу́ но́вые слова́. Днём я ещё ча́сто гуля́ю в па́рке. Во вто́рник и в четве́рг у меня́ в 6 часо́в трениро́вка.

Ве́чером я ре́дко сижу́ в Интерне́те и никогда́ не смотрю́ телеви́зор. У́жинаю я ве́чером в 6 часо́в. Пото́м принима́ю душ. Обы́чно я ложу́сь спать в 10 часо́в. Иногда́ я рабо́таю о́чень мно́го и ложу́сь спать о́чень по́здно, в 12 часо́в, но э́то о́чень ре́дко.

1. Когда́ Рома́н обы́чно встаёт?
2. Что он пото́м де́лает?
3. Когда́ у него́ начина́ются уро́ки?
4. Где обе́дает Рома́н?
5. Когда́ у него́ зака́нчиваются уро́ки?
6. В кото́ром часу́ Рома́н обы́чно уже́ до́ма?
7. Что Рома́н де́лает до́ма?
8. Где Рома́н гуля́ет?
9. Что он никогда́ не де́лает?
10. Когда́ у него́ трениро́вки?
11. Что Рома́н де́лает ве́чером?
12. Когда́ он обы́чно ложи́тся спать?

НАТА́ЛЬЯ: А Э́ТО МОЙ ДЕНЬ

Мой уче́бный день начина́ется всегда́ о́чень ра́но. Я встаю́ в 6 часо́в. Снача́ла я де́лаю заря́дку. Мы живём в до́ме, а заря́дку я де́лаю всегда́ на у́лице. Пото́м я умыва́юсь, принима́ю душ и за́втракаю. Уро́ки начина́ются ра́но, в 8 часо́в, и зака́нчиваются в 3 часа́.

Днём я обяза́тельно 1 час гуля́ю. Дома́шние зада́ния я де́лаю ве́чером. У́жинаю я приме́рно в 8 часо́в, пото́м до́лго сижу́ в Фейсбу́ке и проверя́ю ме́йлы. Я обяза́тельно смотрю́ но́вости. Мне нра́вится учи́ть языки́, ве́чером я ча́сто учу́ но́вые слова́ и повторя́ю ста́рые.

Ве́чером я до́лго чита́ю кни́ги и по́здно ложу́сь спать. Обы́чно я ложу́сь спать в 12.

1. Когда́ Ната́лья встаёт?
2. Что она́ пото́м де́лает?
3. Где она́ де́лает заря́дку?
4. Когда́ у неё начина́ются уро́ки?
5. Когда́ у неё зака́нчиваются уро́ки?
6. Ско́лько она́ гуля́ет днём?
7. Когда́ она́ де́лает дома́шние зада́ния?
8. В кото́ром часу́ она́ у́жинает?
9. Что ей нра́вится де́лать?
10. Она́ лю́бит чита́ть?
11. Когда́ она́ обы́чно ложи́тся спать?

2. Нахо́дим отли́чия в расписа́нии дете́й.

Рома́н обы́чно встаёт в 7 часо́в, а Ната́лья – в 6 часо́в.

Рома́н снача́ла …, а пото́м … .

Ната́лья снача́ла …, а пото́м … .

3. Как прово́дит день твой друг?

Мой друг обы́чно …

4. Расска́зываем, что и в кото́ром часу́ де́лал Ко́ля.

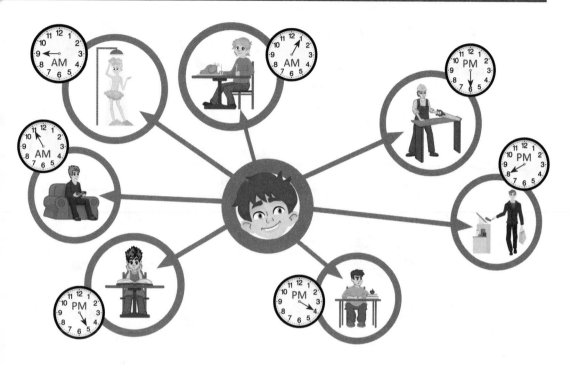

5. Расска́зываем о себе́.

- Ты встаёшь ра́но и́ли по́здно?
- В кото́ром часу́ ты у́тром встаёшь?
- Ты принима́ешь душ у́тром и́ли ве́чером?
- Ты де́лаешь у́треннюю заря́дку?
- В кото́ром часу́ ты обы́чно за́втракаешь?
- Когда́ у тебя́ начина́ются уро́ки?
- У тебя́ есть трениро́вки?
- Где ты обе́даешь?
- В кото́ром часу́ ты обы́чно обе́даешь?
- Когда́ у тебя́ зака́нчиваются уро́ки?
- Ты ча́сто и́ли ре́дко де́лаешь уро́ки в библиоте́ке?
- Ты ча́сто игра́ешь на компью́тере?
- Ты хорошо́ у́чишься и́ли пло́хо?
- Ты лю́бишь смотре́ть телеви́зор?
- В кото́ром часу́ ты обы́чно у́жинаешь?
- Ты по́здно ве́чером ложи́шься спать? В кото́ром часу́?
- В кото́ром часу́ ты встаёшь в выходны́е?

6. Игра́. Отвеча́ем на вопро́сы.

Настольная игра́

Орёл и́ли ре́шка?
Орёл – сде́лай 1 шаг.
Ре́шка – сде́лай 2 шага́.

Что ты ви́дел сего́дня?

Где ты был сего́дня?

Ты лю́бишь де́лать заря́дку?

Что ты де́лал сего́дня?

Когда́ ты обы́чно за́втракаешь?

Как тебя́ зову́т?

Где ты сейча́с живёшь?

Что ты де́лаешь у́тром?

СТАРТ

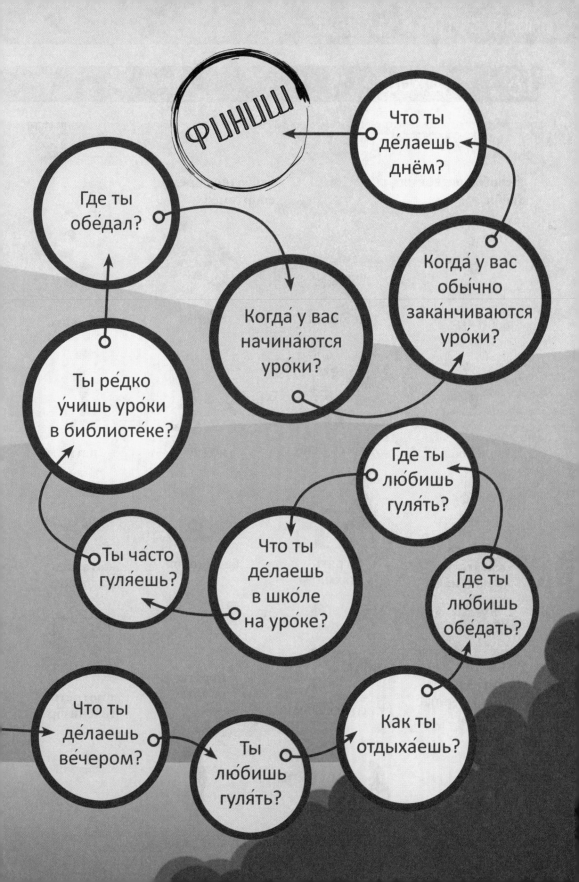

18 УРОК   МОЁ ХОББИ

 АЯ УЧИМ СЛОВА́:

в свобо́дное вре́мя
хо́бби

свобо́дное вре́мя
спортсме́н

бе́гать

пла́вать

хокке́й

танцева́ть

волейбо́л

лови́ть ры́бу

футбо́л

петь

ката́ться
на конька́х

игра́ть
в ша́хматы

бадминто́н

ката́ться
на лы́жах

игра́ть
в компью́терные
и́гры

гуля́ть с соба́кой

игра́ть
в ка́рты

смотре́ть
телеви́зор

баскетбо́л

игра́ть
на пиани́но

игра́ть на скри́пке

петь

Я ПОЮ́	МЫ ПОЁМ
ТЫ ПОЁШЬ	ВЫ ПОЁТЕ
ОН/ОНА́ ПОЁТ	ОНИ́ ПОЮ́Т

танцева́ть

Я ТАНЦУ́Ю	МЫ ТАНЦУ́ЕМ
ТЫ ТАНЦУ́ЕШЬ	ВЫ ТАНЦУ́ЕТЕ
ОН/ОНА́ ТАНЦУ́ЕТ	ОНИ́ ТАНЦУ́ЮТ

1. Знако́мимся! Но́вые слова́.

2. Во что игра́ют де́ти?

| Игорь | Василий | Андрей | Римма | Карина |

3. Что лю́бят де́лать де́ти?

| Ольга | Ваня | Лина | Катарина | Олев |

| Мария | Марика | Георг |

4. Игра́!

а) Игра́ «Журнали́ст». Возьми́те интервью́ у своего́ сосе́да.

У вас есть соба́ка? Вы ча́сто гуля́ете с соба́кой?

б) Па́рная игра́ «Что ты лю́бишь де́лать?». Ка́ждый выбира́ет два свои́х люби́мых заня́тия. Необходи́мо отгада́ть люби́мые заня́тия сосе́да. Задава́йте вопро́сы по о́череди.

> А: Ты лю́бишь рисова́ть?
> Б: Нет. Ты лю́бишь гуля́ть с соба́кой?
> А: Нет. Ты лю́бишь …?

5. Слу́шаем и чита́ем диало́ги.

1

Приве́т, Воло́дя! Как дела́?

Спаси́бо, хорошо́.

Что ты де́лал вчера́?

Я мно́го рабо́тал: чита́л, писа́л, переводи́л текст. О́чень уста́л и в 8 часо́в уже́ был в крова́ти.

А я ждал тебя́. Ты забы́л? Мы хоте́ли игра́ть в футбо́л!

Извини́, я не мог.

2

Ри́та, где ты была́ вчера́?

До́ма. Убира́ла кварти́ру, гото́вила обе́д, пото́м отдыха́ла, смотре́ла телеви́зор. А ты что де́лала?

Я была́ в теа́тре, слу́шала краси́вую му́зыку. Пото́м гуля́ла в па́рке. Я звони́ла ве́чером, но ты не отвеча́ла.

Извини́. Мо́жет, я уже́ спала́.

3

Что ты вчера́ де́лала?

Вчера́ была́ хоро́шая пого́да, и мы це́лый день ката́лись снача́ла на лы́жах, а пото́м на конька́х.

Где?

На стадио́не.

4

Како́е у тебя́ хо́бби?

Я игра́ю в футбо́л и волейбо́л. А у тебя́?

Я игра́ю в ша́хматы. А ещё я игра́ю на пиани́но.

Э́то всё?

Да, всё.

5

Что ты лю́бишь де́лать ле́том?

Я люблю́ игра́ть в бадминто́н.

А ещё?

Пла́вать в реке́ и́ли в мо́ре. А ты?

Я люблю́ лови́ть ры́бу. Я ловлю́ ры́бу не то́лько ле́том, но и весно́й, и о́сенью.

А зимо́й?

Нет, зимо́й я никогда́ не ловлю́ ры́бу.

6

Вы лю́бите спорт?

Да, я о́чень люблю́ спорт. Зимо́й я ката́юсь на лы́жах, а ле́том игра́ю в волейбо́л и баскетбо́л. А вы лю́бите спорт?

Я? Да, я то́же о́чень люблю́ спорт. Я ка́ждый день чита́ю спорти́вные журна́лы и всегда́ смотрю́ спорти́вные но́вости.

6. Слу́шаем диало́ги. Чем лю́ди занима́ются?

33

1. Что А́ндрес де́лает в суббо́ту? Како́е у него́ хо́бби?
2. Что уме́ет де́лать Кри́ста? Что она́ лю́бит де́лать?
3. Что де́лают ве́чером роди́тели Ма́рка? Что де́лают ве́чером роди́тели И́горя?
4. Что де́лает Стен в сре́ду? Что де́лает Стен в воскресе́нье?
5. Что лю́бит де́лать па́па Ре́йна? Что лю́бит де́лать па́па Па́ши? Что он де́лает зимо́й?
6. Брат Ри́сто уме́ет игра́ть в хокке́й? Что де́лает брат Ри́сто? Что лю́бит де́лать Ри́сто?

7. Составля́ем диало́ги.

|

А: Что вы любите делать летом?
А: А мы зимой сидим дома и смотрим телевизор.
А: А мы любим играть в бадминтон. А что вы делаете зимой?
А: Ну с собакой мы гуляем всегда: и зимой, и летом, и весной, и осенью.

Б: Конечно, катаемся на лыжах, если есть снег. А вы?
Б: Плавать в море и играть в волейбол. А вы?
Б: Даже не гуляете с собакой?

2

А: Привет, Маша! Как дела?
А: Ты так рано ложишься спать?
А: Я звонил вечером в девять, но ты не отвечала.
А: Что ты позавчера делала?

Б: Обычно нет, но позавчера я так устала весь день петь и танцевать.
Б: Привет, Саша! Спасибо, отлично!
Б: А! В девять? Я уже спала.
Б: Позавчера? Не помню.

3

А: Учительница, какое у вас хобби?
А: Да, конечно. Я люблю кататься на коньках.
А: А я учусь играть на скрипке.

Б: Ты знаешь, а я не умею кататься на коньках, но я люблю бегать утром в парке.
Б: В свободное время я люблю играть на пианино. А у тебя, Вера?
Б: А спорт ты тоже любишь?

 8. Ролева́я игра́. Составля́ем диало́ги при по́мощи ка́рточек.

 ЦИФРОВА́Я СРЕДА́

 4.1. Выбери правильную форму.

 4.2. Соедини слово и картинку. Послушай, как произносится.

 4.3. Напиши, что можно делать в свободное время.

 4.4. Послушай и найди слова.

19 УРОК МОЯ́ СУПЕРСЕМЬЯ́

1. 1) Слу́шаем. 2) Чита́ем и перево́дим. 🎧34

МОЯ́ СУПЕРСЕМЬЯ́

1 Я живу́ о́чень интере́сно, потому́ что у меня́ мно́го хо́бби. У́тром я встаю́ ра́но, де́лаю заря́дку, бе́гаю и гуля́ю с соба́кой. Пото́м у меня́ уро́ки. Оди́н уро́к – ро́вно 45 мину́т. В шко́ле я учу́сь 8–9 часо́в в день.

2 Днём у меня́ трениро́вки. Трениро́вка идёт у меня́ приме́рно час. В понеде́льник – волейбо́л, во вто́рник – баскетбо́л, в сре́ду – футбо́л, в четве́рг – хокке́й, в пя́тницу – бадминто́н.

3 Днём я ещё де́лаю дома́шние зада́ния. Я да́же не зна́ю, как до́лго. Ду́маю, что приме́рно 3–4 часа́. Я чита́ю, пишу́, учу́ слова́ и ча́сто рабо́таю на компью́тере. Хорошо́, что на компью́тере я рабо́таю не о́чень мно́го. Я никогда́ не игра́ю в компью́терные и́гры и днём никогда́ не отдыха́ю.

4 У меня́ есть вре́мя отдыха́ть то́лько ве́чером, когда́ ма́ма и па́па до́ма. Мы ча́сто игра́ем в ша́хматы, а иногда́ – в ка́рты. Мо́жет, полчаса́ и́ли час. Ещё я о́чень люблю́ танцева́ть, чита́ть, рисова́ть и петь. Я отдыха́ю, когда́ сплю. Обы́чно я ложу́сь в 12 и у́тром встаю́ в 6. Зна́чит, сплю я ма́ло. Хорошо́, е́сли часо́в 6–7. Я ду́маю, что э́то ма́ло, потому́ что днём я всё вре́мя хочу́ спать.

5 Мои́ роди́тели мно́го рабо́тают. Ду́маю, что 8 часо́в в день. Па́па ка́ждый день на рабо́те и ма́ма ка́ждый день на рабо́те. Ве́чером у них то́же трениро́вки. Не ка́ждый день, но ча́сто. Ещё па́па игра́ет на скри́пке, а ма́ма – на пиани́но. Они́ никогда́ не смо́трят телеви́зор, то́лько иногда́ но́вости.

6 Хорошо́, что есть суббо́ты и воскресе́нья! В выходны́е мы все отдыха́ем. Зимо́й мы ката́емся на лы́жах и конька́х. Ле́том мы пла́ваем в мо́ре и́ли ло́вим ры́бу в реке́. Вот так интере́сно мы живём. А как живёте вы?

3) Найдём и прочитáем отрывок, в котóром говори́тся, что ...

а) мáльчик мáло спит;

б) роди́тели не смóтрят телеви́зор;

в) мáльчик утром гуля́ет с собáкой;

г) мáльчик не óчень мнóго рабóтает на компью́тере;

д) семья́ зимóй катáется на лы́жах;

е) в четвéрг мáльчик игрáет в хоккéй.

4) Послýшаем зáпись и скáжем прáвильно.

5) Отвечáем на вопрóсы.

1. Как живёт мáльчик? Почемý? 2. Что мáльчик дéлает утром? 3. Скóлько часóв в день мáльчик учится в шкóле? 4. Каки́м спóртом занимáется мáльчик? 5. Что мáльчик дéлает днём? 6. Что он дéлает чáсто? 7. Что мáльчик никогдá не дéлает на компью́тере? 8. Когдá мáльчик отдыхáет? 9. Что он чáсто дéлает с роди́телями вмéсте? 10. Что лю́бит дéлать мáльчик? 11. В котóром часý мáльчик ложи́тся спать, а в котóром часý он встаёт? 12. Что он хóчет дéлать днём? 13. Скóлько часóв в день рабóтают роди́тели мáльчика? 14. Что у них чáсто вéчером (бывáет)? 15. Что умéют дéлать роди́тели? 16. Что роди́тели никогдá не дéлают? 17. Когдá все отдыхáют? 18. Что семья́ дéлает зимóй? 19. Что семья́ дéлает лéтом?

6) Расскáзываем о жи́зни мáльчика и его́ семьи́.

Мáльчик живёт óчень интерéсно, потомý что у негó мнóго хóбби. ...

7) Смо́трим на карти́нку и расска́зываем о семье́.

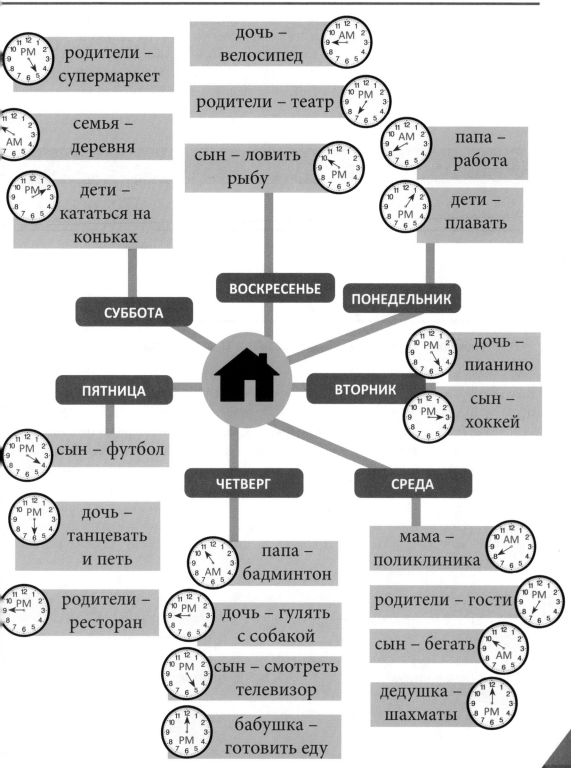

8) Расска́зываем о себе́.

1. Каки́е хо́бби у тебя́ есть? 2. В кото́ром часу́ ты встаёшь у́тром? Что ты у́тром де́лаешь? 3. Что ты де́лаешь в шко́ле? 4. Что ты де́лаешь пото́м? 5. Ско́лько вре́мени ты де́лаешь дома́шнюю рабо́ту? 6. Когда́ ты отдыха́ешь? 7. Что ты де́лаешь, когда́ ма́ма и па́па до́ма? 8. Что лю́бят де́лать твои́ роди́тели? 9. Что вы де́лаете в выходны́е? 10. Что вы де́лаете зимо́й? 11. Что вы де́лаете ле́том?

20 УРОК ПРОВЕРЯ́ЕМ, ЧТО МЫ ЗНА́ЕМ

1. Узнаём слова́.

2. Де́лаем зада́ние и проверя́ем себя́.

В котором часу вы **ужинаем / ужинаете**? → В котором часу вы **ужинаете**?

1. Когда ты **вставать / встаёшь**? 2. Я **встаём / встаю** рано утром. 3. Вы часто **ловите / ловят** рыбу? 4. Мы очень редко **ловите / ловим** рыбу. 5. Ты часто **делает / делаешь** зарядку? 6. Я **делаю / делаем** зарядку только **в субботу / в суббота**. 7. Что они **умеют / умеет** делать? 8. Они **играем / играют** на пианино и **на скрипка / на скрипке**. 9. **Какое / Какая** у него хобби? 10. Он **играет / играю** в баскетбол. 11. Что **делаешь / делает** ребёнок в воскресенье? 12. Он **играет / играют** в компьютерные игры. 13. Когда ты **принимаете / принимаешь** душ? **Вечером. / Вечер**. 14. Что люди **делаете / делают в свободное / в свободная** время? 15. **Свободное / В свободное** время мы **любим / любят** играть **футбол / в футбол**. 16. Что ты **любит / любишь** делать? 17. Я **люблю / любят** гулять **собаку / с собакой**.

3. Слу́шаем, повторя́ем, перево́дим.

4. Слова́рная рабо́та 4.

4. Прове́рочная рабо́та 4.

6. Дикта́нт 4.

2 УРОК ФРУ́КТЫ И Я́ГОДЫ

 Я́ УЧИМ СЛОВА́: 38

сад (в саду́)
лес (в лесу́)

фру́кты
я́годы

оре́х

я́блоко

апельси́н

крыжо́вник

ды́ня

сли́ва

клубни́ка

чере́шня

ви́шня

гру́ша

пе́рсик

черни́ка

бана́н

анана́с

абрико́с

виногра́д

мали́на

арбу́з

земляни́ка

клю́ква

бе́лая

кра́сная

чёрная сморо́дина

1. Знако́мимся! Но́вые слова́.

2. Что э́то и како́го э́то цве́та?

3. Слу́шаем и говори́м «пра́вильно» и́ли «непра́вильно».

4. Каки́е фру́кты лю́бят де́ти?

| Сергей | Наташа | Егор | Сергей | Мария | Валера | Лера | Максим |

5. Что же́нщина купи́ла на ры́нке?

Же́нщина купи́ла на ры́нке фру́кты, я́годы…

6. Прове́рь свою́ ло́гику. Что э́то?

– Она́ кра́сная? – А почему́ она́ бе́лая?
– Нет, чёрная. – Потому́ что ещё зелёная.

22 УРОК овощи

А Я УЧИМ СЛОВА:

óвощи

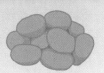

картóфель (картóшка)

лук

пéрец

свёкла

кабачóк

чеснóк

помидóр

петрýшка

баклажáн

капýста

горóх

укрóп

салáт

огурéц (огурцы́)

ты́ква

гриб

моркóвь (моркóвка)

редúс (редúска)

71

1. Знакомимся! Новые слова́.

2. Что э́то и како́го э́то цве́та?

 3. Слу́шаем и говори́м «пра́вильно» и́ли «непра́вильно».

 : 1. Э́то  .   : Непра́вильно, э́то 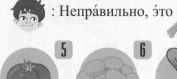 .

2 **3** **4**  **5** **6** **7** **8**

4. Каки́е о́вощи лю́бят де́ти?

Сергей | Наташа | Егор | Карина | Мария | Валера | Лера | Максим

5. Что мужчи́на купи́л на ры́нке?

Мужчи́на купи́л на ры́нке лук …

23 УРОК   ЧТО ГДЕ РАСТЁТ?

1. Каки́е фру́кты расту́т, а каки́е не расту́т в твое́й стране́? А в Росси́и?

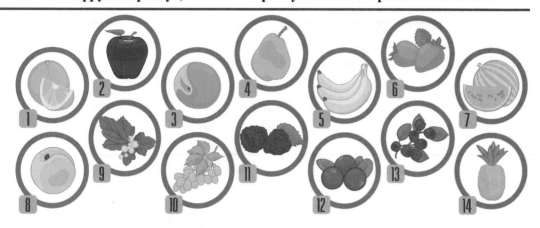

2. Что растёт у ба́бушки?

3. Что растёт в саду́, а что – в лесу́?

42 **4.** Слу́шаем стихотворе́ние.

5.3

5. Чита́ем стихотворе́ние. Употребля́ем, где на́до, сло́во с карти́нки в вини́тельном падеже́.

ОВОЩИ

Юлиан Тувим

Хозя́йка одна́жды с база́ра пришла́,
Хозя́йка с база́ра домо́й принесла́:

О-о-о-ох!
Вот о́вощи спор завели́ на столе́ –
Кто лу́чше, вкусне́й и нужне́й на земле́:

О-о-о-ох!
Хозя́йка тем вре́менем но́жик взяла́
И но́жиком э́тим кроши́ть начала́

О-о-о-ох!
Накры́тые кры́шкою в ду́шном горшке́,
Кипе́ли, кипе́ли в круто́м кипятке́

О-о-о-ох!
И суп овощно́й оказа́лся неплох!

24 УРОК — ЗА́ВТРАК, ОБЕ́Д, У́ЖИН

 Я **У́ЧИМ СЛОВА́:**

 шокола́д
 молоко́
 хлеб
 сала́т
 хрен

 конфе́та
 сок
 сыр
 пиро́г
 майоне́з

 чай
 суп
 колбаса́
творо́г
 ма́сло

 кофе
 рис
 яйцо́
 смета́на
 варе́нье

 вода́
 бутербро́д
 ку́рица
 горчи́ца
 ке́тчуп

 ка́ша
рыба
 са́хар
пиро́жное
 пече́нье

 мя́со
 торт
 соль
 пюре́
 котле́та

 мёд

На за́втрак я обы́чно ем … и пью …
На обе́д я обы́чно ем … и пью …
На у́жин я обы́чно ем … и пью …

пить

Я ПЬЮ	МЫ ПЬЁМ
ТЫ ПЬЁШЬ	ВЫ ПЬЁТЕ
ОН/ОНА́ ПЬЁТ	ОНИ́ ПЬЮТ

есть

Я ЕМ	МЫ ЕДИ́М
ТЫ ЕШЬ	ВЫ ЕДИ́ТЕ
ОН, ОНА́ ЕСТ	ОНИ́ ЕДЯ́Т

1. Знако́мимся! Но́вые слова́.

5.4

2. Дога́дываемся и перево́дим.

1. СУП грибно́й, овощно́й, мясно́й, ры́бный, кури́ный
2. ВАРЕ́НЬЕ вишнёвое, мали́новое, клубни́чное, пе́рсиковое
3. СОК апельси́новый, сли́вовый, я́блочный, виногра́дный, тома́тный
4. ШОКОЛА́Д моло́чный, бе́лый, чёрный
5. САЛА́Т карто́фельный, фрукто́вый
6. ТОРТ фрукто́вый, шокола́дный
7. ПЮРЕ́ карто́фельное, овощно́е, я́блочное
8. КОТЛЕ́ТА кури́ная, мясна́я, карто́фельная, ры́бная

3. Что мы еди́м? Что мы пьём?

Мы пьём …

Мы еди́м …

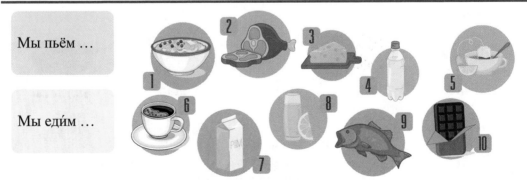

4. Слушаем и говорим «правильно» или «неправильно».

: 1. Это   .   : Неправильно, это   .

5. Какую еду любят дети?

Олег   Лера   Никита   Андрей   Ольга   Гоша   Дима   Кристина

6. Что люди купили в магазине?

Люди купили в магазине котлеты …

7. Читаем шутки в парах. Рассказываем их друг другу.

ШУТКА

1

Мама: «Кто ел шоколад?»
Ребёнок: «Не знаю».
Мама: «А ещё хочешь?»
Ребёнок: «Хочу!»

2

Мальчик не хочет есть манную кашу.
Мама: «Если ты не ешь манную кашу, я позову Бабу-Ягу!»
Мальчик: «Ты думаешь, что Баба-Яга ест манную кашу?»

8. a) Чита́ем ингредие́нты и стара́емся отгада́ть традицио́нные ру́сские блю́да: щи, окро́шку, уху́, сала́т «Оливье́», борщ.

а) ?
- КАРТОФЕЛЬ – 4 ШТУКИ
- МОРКОВЬ – 2 ШТУКИ
- КОЛБАСА «ДОКТОРСКАЯ» – 500 Г
- ЯЙЦА – 4 ШТУКИ
- СОЛЁНЫЕ ИЛИ МАРИНОВАННЫЕ ОГУРЦЫ
- КОНСЕРВИРОВАННЫЙ ЗЕЛЁНЫЙ ГОРОШЕК
- МАЙОНЕЗ, СОЛЬ

б) ?
- ВОДА – 2 Л.
- МЯСО – 500 Г
- КАПУСТА – 1/2 ШТ.
- КАРТОФЕЛЬ – 3 ШТ.
- МОРКОВЬ – 1 ШТ.
- ЛУК – 1 ШТ.
- ЧЕСНОК – 1 ШТ.
- ПОМИДОР – 1 ШТ.
- МАСЛО – 50 Г
- СОЛЬ

в) ?
- МЯСО – 400 Г
- КАРТОФЕЛЬ – 5 ШТУК
- СВЁКЛА – 3 ШТУКИ
- МОРКОВЬ – 3 ШТУКИ
- КАПУСТА – 1 ГОЛОВКА
- ПОМИДОР (БОЛЬШОЙ) – 1 ШТУКА
- УКСУС – 2 СТ. Л.
- ЧЕСНОК
- САХАР, СОЛЬ

г) ?
- РЫБА
- КАРТОФЕЛЬ
- ЛУК
- МОРКОВЬ

д) ?
- ЛУК ЗЕЛЁНЫЙ
- ОГУРЕЦ (СВЕЖИЙ)
- КАРТОФЕЛЬ
- МОРКОВЬ
- ЯЙЦО
- КОЛБАСА
- УКРОП, ПЕТРУШКА
- ЛИМОН, СОЛЬ
- КЕФИР ИЛИ КВАС

б) Смо́трим на карти́нки. Где како́е блю́до?

 1
 2
 3
 4
 5

9. Что ест Ва́ся?

НА ЗАВТРАК

НА ОБЕД

НА УЖИН

10. Расска́зываем о себе́.

1. Что ты обы́чно ешь и пьёшь на за́втрак?
2. Что ты обы́чно ешь и пьёшь на обе́д?
3. Что ты обы́чно ешь и пьёшь на у́жин?

11. Узнаём сло́во.

25 УРОК   ПРОВЕРЯ́ЕМ, ЧТО МЫ ЗНА́ЕМ

ЦИФРОВА́Я СРЕДА́

 5.1. Ягоды и фрукты. Ответь на вопросы и реши кроссворд.

 5.2. Найди правильное название овощей. Послушай, как произносится.

 5.3. Определи слово в правильную группу. Послушай, как произносится.

5.4. Еда. Послушай и найди слова.

---

 5. Де́лаем зада́ние и проверя́ем себя́.

Что ты обычно **ем / ешь** на обед? **Чай. / Суп.** →
Что ты обычно **ешь** на обед? **Суп**.

1. Какие ягоды вы **любить / любите**? **Земляника / землянику** и **крыжовник / крыжовнику**. 2. **Какой / какие** фрукты **любит / любите** ваш сын? **Яблоки / огурцы** и **свёкла / груши**. 3. Какой у тебя **любимые овощи / любимый овощ**? **Помидоры. / Помидор.** 4. А ты **знаешь / знать**, что арбуз – это **большой / большая** ягода? Я **думал / думать**, что это фрукт. 5. Что ты **пьёшь / поёшь** на завтрак? Обычно я **пою / пью чёрный / чёрные** кофе, а иногда **зелёное / зелёный** чай. 6. Что мама **готовит / готовите** на ужин? **Мясо / мяса** и **салата / салат**. 7. Что вчера **готовит / готовила** бабушка? **Варенья. / Варенье.** 8. Какие ягоды девочка **видела / видел** в лесу / **в лесе**? **Черешню / чернику** и **клюкву / виноград**.

---

 6. Слу́шаем, повторя́ем, проверя́ем.

7. Слова́рная рабо́та 5.   **8.** Прове́рочная рабо́та 5.

9. Дикта́нт 5.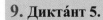

26 УРОК БУ́ДУЩЕЕ ВРЕ́МЯ

В русском языке, как и во многих других языках, есть будущее время (простое и сложное). Оно используется, когда говорят о каком-то действии, которое планируется сделать в будущем. Познакомимся с будущим сложным временем.

*Вчера́ я рабо́тал. Сего́дня я рабо́таю. За́втра я **бу́ду рабо́тать**.*
*Вчера́ он учи́лся. Сего́дня он у́чится. За́втра он **бу́дет учи́ться**.*

Для того чтобы образовать будущее сложное время, надо перед начальной формой глагола поставить дополнительное слово (форма глагола **быть** в будущем времени). Глагол **быть** изменяется в будущем времени так же, как и другие глаголы 1 спряжения в настоящем времени.

я бу́ду	*мы бу́дем*	*+ рабо́тать*
ты бу́дешь	*вы бу́дете*	
он, она́ бу́дет	*они́ бу́дут*	

Посмотри на таблицу времён глаголов в русском языке:

	ВЧЕРА́ Проше́дшее	**СЕГО́ДНЯ** Настоя́щее	**ЗА́ВТРА** Бу́дущее
Я	рабо́тал/а.	рабо́таю.	**бу́ду** рабо́тать.
ТЫ	рабо́тал/а.	рабо́таешь.	**бу́дешь** рабо́тать.
ОН	рабо́тал.	рабо́тает.	**бу́дет** рабо́тать.
ОНА	рабо́тала.	рабо́тает.	**бу́дет** рабо́тать.
МЫ	рабо́тали.	рабо́таем.	**бу́дем** рабо́тать.
ВЫ	рабо́тали.	рабо́таете.	**бу́дете** рабо́тать.
ОНИ	рабо́тали.	рабо́тают.	**бу́дут** рабо́тать.

Но есть и исключения. Их просто нужно запомнить.

Я пил/а́.	Я пью.	Я бу́ду пить.
Я е́л/а.	Я ем.	Я бу́ду есть.
Я спал/а́.	Я сплю.	Я бу́ду спать.
Я писа́л/а.	Я пишу́.	Я бу́ду писа́ть.

Я бу́ду есть + винительный падеж.   *Я бу́ду есть ку́рицу.*
Я бу́ду пить + винительный падеж.   *Я бу́ду пить во́ду.*

Иногда русские опускают глаголы **есть**, **пить**. Можно просто спросить:
«*Что ты бу́дешь?*» – и ответить: «*Я бу́ду во́ду*».

Наприме́р:

Что ты бу́дешь? Я бу́ду ку́рицу.
Что ты бу́дешь? Я бу́ду чай.
Ты бу́дешь чай и́ли ко́фе?

Глагол **быть** почти не встречается в настоящем времени, но активно
используется в прошедшем и будущем времени.

*Вчера́ я **был** в Но́вгороде.*
Сего́дня я в Но́вгороде.
*За́втра я **бу́ду** в Но́вгороде.*

NB! *В Но́вгороде **есть** Кремль.*
    *У меня́ **есть** маши́на.*

	ВЧЕРÁ Проше́дшее	СЕГÓДНЯ Настоя́щее	ЗÁВТРА Бу́дущее
Я	**был/á** до́ма.	до́ма.	**бу́ду** до́ма.
ТЫ	**был/á** до́ма.	до́ма.	**бу́дешь** до́ма.
ОН	**был** до́ма.	до́ма.	**бу́дет** до́ма.
ОНА	**былá** до́ма.	до́ма.	**бу́дет** до́ма.
МЫ	**бы́ли** до́ма.	до́ма.	**бу́дем** до́ма.
ВЫ	**бы́ли** до́ма.	до́ма.	**бу́дете** до́ма.
ОНИ	**бы́ли** до́ма.	до́ма.	**бу́дут** до́ма.

Существу́ет и друго́й спо́соб образова́ния бу́дущего вре́мени (просто́го), но о нём мы поговори́м по́зже.

1. Выбира́ем пра́вильный отве́т.

Вчерá Кáтя: а) читáет; б) читáла; в) бýдет читáть.
Зáвтра Ири́на: а) ест; б) е́ла; в) бýдет есть.
Вчерá Лéна: а) отдыхáет; б) бýдет отдыхáть; в) отдыхáла.
Зáвтра Олéг: а) отдыхáет; б) бýдет отдыхáть; в) отдыхáл.
Вчерá мы: а) учи́ли; б) бýдем учи́ть; в) ýчим.
Зáвтра ученики́: а) говори́ть; б) говори́ли; б) бýдут говори́ть.
Вчерá они́: а) гуля́ют; б) бýдут гуля́ть; в) гуля́ли.
Зáвтра дéти: а) отвечáли; б) отвечáть; в) бýдут отвечáть.
Зáвтра я: а) рабóтать; б) рабóтала; в) бýду рабóтать.
Вчерá я: а) переводи́л; б) перевожý; в) бýду переводи́ть.

2. Читáем глагóлы в бýдущем врéмени.

СПАТЬ, ПИСÁТЬ, СЛУ́ШАТЬ, ГУЛЯ́ТЬ, ПРОВЕРЯ́ТЬ, ПЕРЕВОДИ́ТЬ

Я бýду спать, я бýду писáть, …

| Я … | Ты … | Он/онá … | Мы … | Вы … | Они́ … |

3. Чита́ем.

	ВЧЕРА́ Проше́дшее	СЕГО́ДНЯ Настоя́щее	ЗА́ВТРА Бу́дущее
Я	Я рабо́тал.	...	...
ТЫ	...	Ты объясня́ешь.	...
ОН	...	...	Он бу́дет повторя́ть.
ОНА	Она́ по́мнила.	...	...
МЫ	...	Мы убира́ем.	...
ВЫ	Вы гуля́ли.	...	...
ОНИ	...	Они́ перево́дят.	...

4. Говори́м в проше́дшем, в настоя́щем и в бу́дущем вре́мени.

1. писа́ть (*она́*), 2. чита́ть (*ты*), 3. знать (*он*),
4. уме́ть (*она́*), 5. понима́ть (*мы*), 6. слу́шать (*вы*),
7. ду́мать (*они́*), 8. учи́ться (*они́*), 9. гуля́ть (*я*),
10. отвеча́ть (*он*)

рабо́тать (*я*) →
я рабо́тал
я рабо́таю
я бу́ду рабо́тать

5. Говори́м, где лю́ди бу́дут за́втра.

Я – дом → Я бу́ду за́втра до́ма.

1. Мы – го́род → ...
2. Ты – шко́ла → ...
3. Они́ – библиоте́ка → ...
4. Вы – музе́й → ...
5. Он – парко́вка → ...
6. Она́ – ры́нок → ...
7. Я – у́лица → ...
8. Мы – магази́н → ...
9. Ты – центр → ...
10. Они́ – аэропо́рт → ...

6. Где бу́дут отдыха́ть лю́ди?

И́нга – Росси́я → ... И́нга бу́дет отдыха́ть в Росси́и.

1. Мы – А́нглия → ...
2. Же́нщина – Брюссе́ль → ...
3. Вы – Москва́ → ...
4. Лю́ди – мо́ре → ...
5. Я – Финля́ндия → ...
6. Мы – Росси́я → ...
7. Ты – рестора́н → ...
8. Ребёнок – кафе́ → ...

7. Прове́рь свою́ ло́гику.

1) Что бы́ло «за́втра», а бу́дет «вчера́»?

2) Е́сли три дня наза́д бы́ло воскресе́нье, то како́й день неде́ли бу́дет послеза́втра?

27 УРОК — ТЫ БУ́ДЕШЬ ЗА́ВТРА В ГО́РОДЕ?

1. Слу́шаем и чита́ем диало́ги.

— Дава́й встре́тимся!
— Дава́й!
— Ты бу́дешь за́втра в го́роде?
— Да, бу́ду.
— Когда́ ты бу́дешь?
— Ве́чером.
— Дава́й встре́тимся в це́нтре!
— Я бу́ду ждать тебя́ в це́нтре.

3
— Где ты бу́дешь у́тром?
— До́ма.
— А днём?
— В шко́ле. А ве́чером в теа́тре. А ты?
— Я то́же ве́чером бу́ду в теа́тре.

5
— Что ты бу́дешь есть?
— Я бу́ду то́лько пить.
— Что?
— Я бу́ду во́ду и всё.
— Есть не хо́чешь?
— Нет, не хочу́.

7
— Где ты бу́дешь отдыха́ть ле́том?
— Ещё не зна́ю. А ты?
— Я не бу́ду отдыха́ть.
Я бу́ду в Эсто́нии.
— Я ду́маю, что я бу́ду и́ли в Финля́ндии, и́ли в А́нглии.

2 — 47
— Ты бу́дешь хлеб?
— Нет, я не ем хлеб.
— Мо́жет, бу́дешь бу́лку?
— Нет, спаси́бо.
— Ну а что ты бу́дешь?
— Ничего́.

4
— Что мы бу́дем сего́дня есть на обе́д?
— Не зна́ю.
— А что мы бу́дем есть на у́жин?
— То́же не зна́ю.
— А кто зна́ет?
— Ты, наве́рное, зна́ешь.

6
— Что вы бу́дете?
— У вас есть зелёный чай? Я бу́ду зелёный чай.
— К сожале́нию, нет.
Есть то́лько чёрный. Бу́дете?
— Да, хорошо́, тогда́ я бу́ду чёрный чай.
— Это всё?
— Ещё мёд, пожа́луйста.
— Хорошо́.

8
— Ты бу́дешь мя́со и́ли ры́бу?
— Я бу́ду мя́со. Я не ем ры́бу.
— А я не ем мя́со. Я бу́ду ры́бу.
— А что бу́дем пить?
— Я сок.
— А я бу́ду во́ду. Я не пью сок.
— А я не пью во́ду.

2. Чита́ем диало́ги и вставля́ем глаго́л БЫТЬ в бу́дущем вре́мени.

1

Ты … бу́лку?

Нет, я не … .

Мо́жет, … хлеб?

Нет, спаси́бо, то́же не … .

Ну а что ты …?

Ничего́.

2

Дава́й встре́тимся!

Дава́й!

Ты … за́втра в шко́ле?

Да, … .

Когда́ ты …?

В во́семь уже́ … .

Дава́й встре́тимся в библиоте́ке!

Я … ждать тебя́ в библиоте́ке.

Договори́лись.

3

Что мы … сего́дня есть на за́втрак?

Я … чай и бутербро́д. А ты?

Я … ещё яйцо́.

А моро́женое мы …?

Нет.

4

Где ты … у́тром?

До́ма.

А днём?

То́же до́ма.

А где ты … ве́чером?

В кино́. А ты?

Я то́же … ве́чером в кино́.

5

Что вы …?

У вас есть я́блочный сок?
Я … я́блочный сок.

К сожале́нию, нет. У нас есть то́лько апельси́новый. … апельси́новый?

Да, хорошо́, тогда́ я … апельси́новый.

Э́то всё?

Нет, ещё я … моро́женое.

Хорошо́.

6

Что ты … есть?

Я … то́лько пить.

Что?

Я … апельси́новый сок и всё.

Есть не …?

Нет, не … .

7

Ты … ры́бу или мя́со?

Я … ку́рицу.

А я … ры́бу.

А что мы … пить?

Я … ко́фе.

А я … пе́рсиковый сок.

8

Где ты … отдыха́ть ле́том?

Ещё не зна́ю. А ты?

Я ду́маю, что я не … отдыха́ть ле́том.

А когда́?

Я … отдыха́ть зимо́й.

3. Слу́шаем диало́ги. Что лю́ди бу́дут есть?

1. Что бу́дет есть ма́льчик?
2. Что лю́бит есть Ка́тя? Что Ка́тя не лю́бит есть?
3. Что иногда́ ест Андре́й?
4. Как за́втракает Ма́ртин?
5. Что сего́дня ел на обе́д па́па Ка́рин?
6. Что бу́дут есть ма́льчики?

4. Составля́ем диало́ги.

А: Привет, Юля! Ты будешь завтра в городе?
А: Давай, как обычно, в центре в два или в три часа.
А: Может, тогда завтра встретимся?
А: Договорились!

1

      Б: Хорошо. Буду ждать тебя в центре в два.
      Б: Привет, Лера! Да, буду.
      Б: Давай! А где и когда?

А: Мама, что мы будем есть на завтрак?
А: А я уже не ребёнок. Значит, я тоже буду бутерброд.
А: Нет. Я не буду кашу.

2

      Б: Почему не будешь? Все дети едят кашу на завтрак.
      Б: Ты будешь есть кашу, а я буду бутерброд.
      Б: Ну, хорошо. Тогда я буду кашу.

А: Где вы будете отдыхать летом?
А: Утром будет гулять мама, днём – я, а вечером – папа.
А: Ещё не знаем. У нас собака. Наверно, будем дома.
А: Будем смотреть телевизор и играть в шахматы.
А: А что вы будете делать в Финляндии?

3

      Б: Мы будем ловить рыбу. А где вы будете отдыхать?
      Б: Мы будем отдыхать в Финляндии.
      Б: А с собакой кто будет гулять?
      Б: Дома? А что вы будете делать?

28 УРОК В КАФЕ́

(49) (А)(Я) У́ЧИМ СЛОВА́:

Мо́жно счёт?
Ско́лько с меня́?
Прия́тного аппети́та!
Добро́ пожа́ловать!
десе́рт
зака́зывать
объявле́ние
вку́сный
нельзя́
меню́
кусо́к
гарни́р
мо́жно

зака́з
солёный
сла́дкий

официа́нт

 1. Знако́мимся! Но́вые слова́.

2. Перево́дим предложе́ния.

1. Меню́, пожа́луйста! 2. Вот меню́, пожа́луйста. 3. Вы бу́дете чёрный ко́фе? 4. Что бу́дете зака́зывать? 5. Я бу́ду апельси́новый сок. 6. У вас есть я́блочный сок? 7. Мы бу́дем ку́рицу. 8. Мо́жно счёт, пожа́луйста. 9. Ско́лько с меня́? 10. Вот счёт, пожа́луйста. 11. Како́й у вас есть гарни́р? 12. Вы бу́дете мя́со и́ли ры́бу? 13. Како́й гарни́р? 14. Вы бу́дете ку́рицу? 15. Я бу́ду зелёный чай. 16. Добро́ пожа́ловать! 17. Прия́тного аппети́та!

3. Слу́шаем и чита́ем диало́ги.

1

Официа́нт: До́брый день, добро́ пожа́ловать!

Клие́нт: До́брый день!

Вот меню́, пожа́луйста.

Что бу́дете зака́зывать?

Мне мя́со, пожа́луйста, и сала́т «Оливье́».

Како́й гарни́р? Карто́фель фри, рис, пюре́?

Карто́фель фри, пожа́луйста.

Что бу́дете пить?

Ко́фе капучи́но и апельси́новый сок.

Вот ваш зака́з. Прия́тного аппети́та!

Счёт, пожа́луйста.

2

Клие́нт: Здра́вствуйте! Я зака́зывал сто́лик.

Официа́нт: Здра́вствуйте! Вот ваш сто́лик. Меню́?

Да, пожа́луйста.

Что бу́дете зака́зывать?

Я ду́маю, мя́со.

Хорошо́. Како́е?

А шашлы́к есть?

Да, но это о́чень до́рого.

Не ва́жно. Я люблю́ шашлы́к. А како́й есть гарни́р?

Рис, карто́фель и́ли сала́т.

Тогда́ рис. А каки́е есть десе́рты?

Пиро́жные, шокола́д, пече́нье... О́чень мно́го. Вот они́ в меню́.

Поня́тно, спаси́бо. Я бу́ду пиро́жное «Карто́шка».

Чай, ко́фе?

Чай, пожа́луйста.

Хорошо́. Ваш зака́з: шашлы́к, рис, пиро́жное «Карто́шка» и чай.

3

Клие́нт: Извини́те пожа́луйста, в сала́те «Оливье́» есть мя́со?

Официа́нт: Да. Там мя́со и о́вощи – карто́фель, морко́вь, огурцы́.

Огурцы́? Пло́хо. У меня́ аллерги́я.

Мо́жет, вы бу́дете тогда́ сала́т «Карто́фельный»? Там то́лько мя́со, карто́фель и я́йца. Бу́дете зака́зывать?

Да, пожа́луйста, сала́т «Карто́фельный».

Хорошо́. А хлеб?

Оди́н кусо́к, е́сли мо́жно.

4

Официа́нт: Вы бу́дете мя́со и́ли ры́бу?

Маргит: Я хочу́ ку́рицу. У вас есть ку́рица?

Да, коне́чно. Како́й гарни́р?

А како́й есть?

Рис, карто́фель…

Я бу́ду карто́фельное пюре́.

Хлеб?

Да, мо́жно оди́н кусо́к.

А вы что зака́зываете?

Я бу́ду пельме́ни. И сра́зу счёт, пожа́луйста.

Хорошо́.

4. Составля́ем диало́ги.

1

A: Дети! Вы будете суп?
A: Ну, хорошо. Тогда завтра будете суп.
A: Плохо. А что вы будете?
A: Это нельзя есть!

Б: Мы будем сосиски, картошку фри и кетчуп.
Б: Нет! Мы не будем суп.
Б: Договорились!
Б: Иногда можно!

2

A: Добрый вечер! Мы заказывали столик.
A: Мы будем кофе, а дети будут сок.
A: Спасибо! Можно счёт?
A: Дети будут котлеты, а мы будем рыбу.
A: Дети будут пюре, а мы будем рис.
A: Спасибо!

Б: Здравствуйте! Добро пожаловать! Вот ваш столик, а вот меню, пожалуйста.
Б: Вот ваш заказ. Приятного аппетита!
Б: Вот счёт, пожалуйста.
Б: Что будете заказывать?
Б: А какой гарнир будете?
Б: И что будете пить?

3

A: Добрый день! Что вы будете заказывать?
A: Может, тогда этот? Там только ягоды.
A: У нас есть сладкие пироги и пирожные.
A: Тогда этот. Там есть яблоки и орехи.
A: Все вкусные. Яблоки любите?
A: Пять евро.
A: Какой чай?

Б: Да, можно. Один кусок, пожалуйста. И ещё я буду чай.
Б: Здравствуйте! Я буду только десерт. Что у вас есть?
Б: Орехи? Но у меня аллергия на орехи. Мне нельзя это.
Б: Чёрный. И ещё мёд, пожалуйста. Сколько с меня?
Б: Отлично! Какой пирог вкусный?
Б: Да, люблю.

5. Ролевáя игрá. Составляáем диалóги при пóмощи кáрточек.

6. Что лю́ди заказáли в рестор́ане?

Лю́ди заказáли в рестор́ане …

7. Заполняáем прóпуски подходáящими по смы́слу слов́ами.

– Дóбрый день!
  Пож́алуйста, вот … .
– Спаси́бо.
– Что вы бýдете …?
– Кури́ный суп.
– А хлеб?
– Да, оди́н …, пож́алуйста.
– Что вы бýдете …?
– Зелёный …, пож́алуйста.

СЛОВÁ: пить, кусóк,
         меню́, чай,
         заќазывать

– Что бýдете …?
– Я хочý суп. Извини́те, а что зн́ачит ух́а?
– Это ры́бный … .
– Отли́чно! Я бýду ухý.
– Что ещё?
– Ещё я бýду … .
– А пить?
– Каки́е … у вас есть?
– Апельси́новый, я́блочный, … и пéрсиковый.
– Я бýду апельси́новый сок. И ср́азу …,
  пож́алуйста.
– Хорошó.

СЛОВÁ: суп, сóки, счёт, заќазывать,
         пельмéни, томáтный

8. Чит́аем.

ШУТКА

Объявлéние:

Однó кóфе! – 100 рублéй.
Оди́н кóфе! – 80 рублéй.
Оди́н кóфе,
      пож́алуйста! – 50 рублéй.
Здр́авствуйте,
  оди́н кóфе, пож́алуйста! – 15 рублéй.

29 УРОК КТО ЧТО ЗАКАЗА́Л?

1. Прове́рь свою́ ло́гику.

1) Чита́ем и заполня́ем табли́цу в рабо́чей тетра́ди (стр. 45, зада́ние 7).

В кафе́ сидя́т и отдыха́ют лю́ди:
Андре́й, А́нна, Анто́н и Софи́я. Им 16 лет, 24 го́да, 31 год и 55 лет.

Ско́лько кому́ лет? Что они́ заказа́ли? Что они́ пи́ли? Что они́ е́ли?

1. Са́мый молодо́й челове́к заказа́л сок.
2. Анто́н заказа́л бутербро́д.
3. Челове́к, кото́рый заказа́л пельме́ни, заказа́л и во́ду.
4. Са́мый ста́рый заказа́л соси́ски и чай.
5. Оди́н челове́к заказа́л ко́фе. Ему́ 24 го́да.
6. Э́то Андре́й. Ему́ 55 лет.
7. Софи́я заказа́ла торт.
8. А́нна моло́же Андре́я, но ста́рше Анто́на.
9. Софи́я – са́мая молода́я.

Антон	Андрей
Сколько ему лет?	Сколько ему лет?
Что он пил?	Что он пил?
Что он ел?	Что он ел?
София	**Анна**
Сколько ей лет?	Сколько ей лет?
Что она пила?	Что она пила?
Что она ела?	Что она ела?

2) На осно́ве табли́цы расска́зываем об Андре́е, А́нне, Анто́не и Софи́и.

Э́то Анто́н. Ему́ … год/го́да/лет. Он пил … . Он ел … .

2. Узнаём сло́во.

30 УРОК | ПРОВЕРЯ́ЕМ, ЧТО МЫ ЗНА́ЕМ

 ЦИФРОВА́Я СРЕДА́

 6.1. Составь диалог: Что вы будете есть?

 6.2. Составь диалог: Давай встретимся!

 6.3. Правильно распредели слова в группы. Послушай, как произносится.

 6.4. Моя новая жизнь. Выбери правильную форму.

5. Де́лаем зада́ние и проверя́ем себя́.

Что они **буду / будут** заказывать? **Котлета. / Котлеты.** →
Что они **будут** заказывать? **Котлеты.**

1. Что подруга **заказал / заказала** в кафе? Только **чёрное / чёрный** кофе. 2. Что ты **будете / будешь** на обед? Я буду **курицу / курица** и **салату / салат**. 3. Где вы **будете / будем завтра / вчера** утром? **В школе. / В школу.** 4. На завтрак мы **буду / будем кашу / каша**. 5. Что она **будет / будут** на ужин? **Нигде. / Ничего**. 6. Что **говорим / говорит** официант? **Приятного аппетита! / Приятный аппетит!** 7. **Какие / какой** десерты у вас есть? **Торт. / Торты.** 8. Что ты обычно **заказываешь / заказывает** в кафе? **Рыба / рыбу** и **рис / риса**. 9. Что вы **ел / ели вчера / завтра**? **Мяса. / Мясо.** 10. **Какой / какие** гарнир у вас есть? **Картофель фри. / Картошку фри**. 11. Это **сладкий / сладкие** или **солёный / солёные** пирог? 12. Добро **пожалуйста / пожаловать**!

6. Слу́шаем, повторя́ем, проверя́ем.

7. Слова́рная рабо́та 6. | **8. Прове́рочная рабо́та 6.**

9. Дикта́нт 6.

3 | УРОК ВИНИ́ТЕЛЬНЫЙ ПАДЕ́Ж

Значение

Ты уже знаешь, что винительный падеж показывает, на что или на кого направлено действие.

Также ты знаешь, что для того, чтобы правильно образовать форму винительного падежа, важно знать, одушевлённое существительное (*кни́га*) или неодушевлённое (*ма́льчик*).

Давай теперь познакомимся с винительным падежом одушевлённых существительных (обозначают людей и животных).

7.1 В винительном падеже одушевлённое существительное отвечает на вопрос **КОГО?**

Кого́ зна́ет Ма́ша? Ма́ша зна́ет Ири́ну.
Кого́ лю́бит Ри́мма? Ри́мма лю́бит Же́ню.

Форма

Оконча́ния одушевлённых и неодушевлённых существи́тельных в вини́тельном падеже́ отлича́ются.

Вини́тельный паде́ж **одушевлённых** существи́тельных

Мужской род		Женский род			Средний род
-й -ь		**-а**	**-я**	**-ь**	**-о -е**
ма́льчик	Андре́й, учи́тель	де́вочка	Мари́я	Любо́вь	существо́ живо́тное
↓ -А	↓ -Я	↓ -У	↓ -Ю	↓ Не изме-ня́ется	↓ Не изменя́ется
ма́льчика	Андре́я, учи́теля	де́вочку	Мари́ю		

- Существительные мужского рода изменяются, если в именительном падеже у существительного нет окончания, то в винительном падеже появляется окончание **-А**:

  Э́то ма́льчик. → Я зна́ю ма́льчика.

- Если в именительном падеже существительное оканчивается на **-Й** или **-Ь**, то в винительном падеже появляется окончание **-Я**:

  Э́то Андре́й. → Я люблю́ Андре́я.
  Э́то учи́тель. → Я понима́ю учи́теля.

- Форма винительного падежа у существительных среднего рода совпадает с формой именительного падежа, то есть не изменяется.

  Э́то живо́тное. → Я ви́жу живо́тное.

Одушевлённые существительные женского рода изменяются в винительном падеже так же, как и неодушевлённые существительные.

- Если в именительном падеже существительное оканчивается на **-А**, то в винительном падеже оно меняется на **-У**:

    Э́то де́вочка. → Я зна́ю де́вочку.

- Если в именительном падеже существительное оканчивается на **-Я**, то в винительном падеже оно меняется на **-Ю**:

    Э́то Мари́я. → Я люблю́ Мари́ю.

Обрати внимание! В русском языке есть такие слова, которые имеют окончания женского рода, но относятся к мужскому роду: *па́па, де́душка, дя́дя,* краткие формы мужских имён: *Са́ша, Ви́тя, Ми́ша* и др. Такие слова изменяются так же, как и слова женского рода.

Э́то па́па. → Я ви́жу па́пу.

Э́то Ви́тя. → Я люблю́ Ви́тю.

А теперь давай вспомним глаголы, требующие после себя винительный падеж:

люби́ть, знать, понима́ть, слу́шать, учи́ть, ви́деть, ждать, рисова́ть, спроси́ть, по́мнить

Давай объединим две таблицы и запомним такую картинку:

ВИНИ́ТЕЛЬНЫЙ ПАДЕЖ

	Мужской род	Женский род	Средний род	Множественное число
Неодушев-лённые	Не изме-ня́ется	-У / -Ю (кроме -ь)	Не изме-ня́ется	Об этом поговорим позже
Одушевлён-ные	-А / -Я	-У / -Ю (кроме -ь)	Не изме-ня́ется	Не изменя́ется

Вини́тельный падеж местоиме́ний	Я – МЕНЯ́	МЫ – НАС
	ТЫ – ТЕБЯ́	ВЫ – ВАС
	ОН – ЕГО́ / ОНА – ЕЁ	ОНИ́ – ИХ

Ａ Я ÚЧИМ СЛОВÁ:

друг дру́га	пока́	да́льше
у́мный	снача́ла	де́ло
ско́ро	любо́вь	

1. Знако́мимся! Но́вые слова́.

2. Кто кого́ лю́бит?

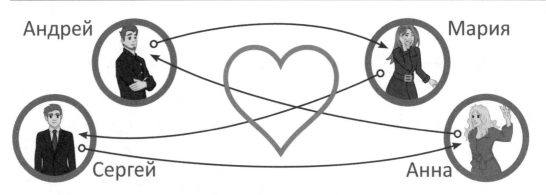

Андрей Мария

Сергей Анна

3. Прове́рь свою́ ло́гику!

Гри́ша ви́дит Са́шу, но не ви́дит Ми́шу, а Ми́ша ви́дит Гри́шу, но не ви́дит Па́шу.

Как зову́т ма́льчиков на карти́нке?

4. Игра́! Кто кого́ зна́ет?

Пе́тя зна́ет Ма́шу, Ма́ша зна́ет па́пу …

УЧЕНИК А	
Пе́тя	Ма́ша
па́па	ма́ма
ба́бушка	де́душка
сестра́	брат
соба́ка	кот

соба́ка	де́душка
сестра́	ма́ма
колбаса́	кот
па́па	Ма́ша
ба́бушка	брат
УЧЕНИК Б	

5. Задаём вопро́сы.

…? Мы ждём дру́га. → **Кого́ вы ждёте?** Мы ждём дру́га.

1. …? Он слу́шает учи́теля. 2. …? Я чита́ю о́чень хоро́шую кни́гу. 3. …? Мы ждём подру́гу. 4. …? Они́ рису́ют па́пу. 5. …? Я понима́ю учи́теля. 6. …? Я не ем ста́рый хлеб. 7. …? Они́ учи́ли но́вые слова́. 8. …? Она́ купи́ла соба́ку. 9. …? Я зна́ю ру́сский язы́к. 10. …? Он лю́бит бра́та. 11. …? Ма́ма у́чит сестру́.

6. а) Чита́ем текст.

А́льфред сиди́т в кре́сле и чита́ет газе́ту. Он ско́ро бу́дет есть. Его́ жена́ Ви́рве смо́трит телеви́зор и уже́ гото́вит ему́ еду́. Их де́ти Сте́лла и Ва́ллот то́же до́ма. Дочь Сте́лла сейча́с в де́тской ко́мнате. Она́ де́лает дома́шнее зада́ние: пи́шет упражне́ние, чита́ет текст, перево́дит статью́. Сын Ва́ллот слу́шает му́зыку. Ему́ о́чень нра́вится слу́шать му́зыку. Сейча́с он ждёт дру́га. Сего́дня они́ бу́дут смотре́ть интере́сный фильм.

б) Задаём вопро́сы и отвеча́ем на них.

1. Кто сиди́т в кре́сле и чита́ет газе́ту? А́льфред.
2. Что де́лает А́льфред? Сиди́т в кре́сле и чита́ет газе́ту.
3. Где сиди́т А́льфред? В кре́сле.
4. Что А́льфред чита́ет? Газе́ту.

КТО? ЧТО ДЕ́ЛАЕТ? ГДЕ? ЧТО? ЧЕЙ? КОГО́?
КОГДА́? КАКО́Й? ЧТО БУ́ДУТ ДЕ́ЛАТЬ?

32 УРОК ТЫ ЗНА́ЕШЬ АНТО́НА?

 1. Слу́шаем и чита́ем диало́ги.

1

— Ра́ймо, ты зна́ешь Анто́на?

— Нет, не зна́ю.

— А Та́ню ты то́же не зна́ешь?

— Нет.

— Тогда́ дава́й познако́мимся! Это мои́ друзья́.

— О́чень прия́тно.

— Мне то́же.

2

— Зна́ешь, кого́ я вчера́ ви́дела?

— Кого́?

— При́йта.

— Да ты что́! Где ты его́ ви́дела?

— В суперма́ркете.

— Когда́?

— Ве́чером.

3

— Приве́т!

— Приве́т!

— Кого́ ждёшь?

— Ма́ртина. А ты?

— А я ма́му. Ты давно́ его́ ждёшь?

— Нет, неда́вно. А ты?

— Я её жду уже́ о́чень давно́.

2. Составля́ем диало́ги.

1

А: Знаешь, кого я вчера видел?
А: Не знаю. Она меня не видела.
А: Темно уже было.
А: В парке.
А: Инну.

Б: Да ты что! Где ты её видел?
Б: Ну как она живёт?
Б: Почему?
Б: Кого?

2

А: Кого ты ждёшь?
А: Да я ничего не понял.
А: А ты слушала учителя на уроке?
А: Потому что рисовал на уроке собаку.

Б: Слушала, а что?
Б: Почему?
Б: Друга.

3

А: Настя, ты знаешь Аню?
А: Тогда познакомьтесь! Это мои друзья.
А: А Марка знаешь?

Б: И Марка не знаю.
Б: Очень приятно.
Б: Нет, не знаю.

33 УРОК КТО КОГО́ ЛЮ́БИТ?

1. Перево́дим на родно́й язы́к.

1. А где Кристи́на? Я её не ви́дел. 2. Анто́н хо́чет написа́ть им. 3. Кого́ она́ ждёт? Она́ ждёт вас. 4. Она́ лю́бит его́, а он не лю́бит её. 5. Они́ у́чат меня́ рисова́ть. 6. Её ребёнок всегда́ слу́шает его́. 7. Он лю́бит её, а она́ лю́бит его́. 8. Учи́тель не спроси́л его́. 9. Он внима́тельно слу́шает нас. 10. – Где но́вая кни́га? – Я не купи́л её. 11. Ма́ма спроси́ла меня́. 12. Ты меня́ лю́бишь? 13. – Ты купи́ла ру́чки? – Да, я их купи́ла. 14. – Где письмо́? – Я не ви́дел его́.

2. 1) Слу́шаем. 2) Чита́ем и перево́дим.

КТО КОГО́ ЛЮ́БИТ?

Я сейча́с чита́ю о́чень интере́сную кни́гу. В кни́ге есть ма́льчик и де́вочка. Ма́льчика зову́т Вита́лий, а де́вочку – Ната́ша. Снача́ла они люби́ли друг дру́га. Они́ бы́ли как Роме́о и Джулье́тта. «Я люблю́ тебя́! А ты меня́?» – ка́ждый день спра́шивал Вита́лий. «Я тебя́ то́же люблю́!» – отвеча́ла Ната́ша. Она́ о́чень краси́вая, а он о́чень у́мный.

Они́ жи́ли и учи́лись в Эсто́нии. Вот Ната́ша говори́т, что она́ бу́дет жить и учи́ться в Финля́ндии. Вита́лий отвеча́ет, что он бу́дет её ждать. Пото́м Вита́лий встре́тил Мари́ну. Тепе́рь он лю́бит не Ната́шу, а Мари́ну. Мари́на не о́чень краси́вая, но о́чень у́мная. Она́ мно́го чита́ет и хорошо́ у́чится.

Ната́шу в Финля́ндии лю́бит Серге́й. Все де́вочки говоря́т, что он о́чень краси́вый. Ната́ша так не ду́мает, она́ всё ещё лю́бит Вита́лия. Она́ совсе́м не ви́дит Серге́я, не ви́дит, како́й он краси́вый и как он её лю́бит. О́чень интере́сно, что бу́дет да́льше. Любо́вь – э́то тру́дное де́ло.

3) Найдём и прочитаем предложение, в котором говорится, ...

а) что Виталий и Наташа как Ромео и Джульетта;

б) какая Наташа;

в) какой Виталий;

г) какая Марина;

д) как Марина учится;

е) что Наташа всё ещё любит Виталия.

4) Послушаем запись и скажем правильно.

5) Отвечаем на вопросы.

1. Как зовут мальчика и девочку? 2. Кто кого сначала любил? 3. Что они говорят друг другу? 4. Наташа умная или красивая? А какой Виталий? 5. Где будет жить и учиться Наташа? 6. Кого встретил Виталий? 7. Марина красивая, как и Наташа? 8. Что делает Марина? 9. Кого теперь любит Наташа? 10. Кого теперь любит Виталий? 11. Кого любит Сергей? 12. Сергей умный, как и Виталий?

6) Работаем в паре. Спрашиваем и отвечаем.

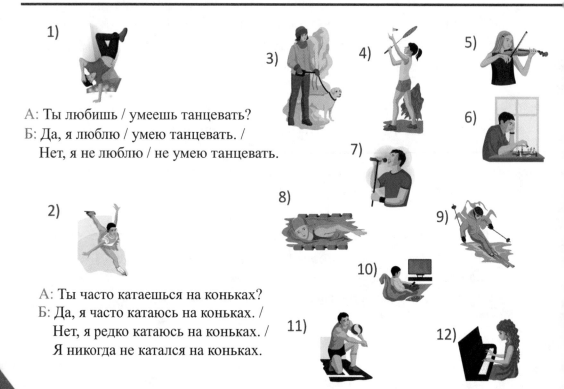

1)

А: Ты любишь / умеешь танцевать?
Б: Да, я люблю / умею танцевать. /
Нет, я не люблю / не умею танцевать.

2)

А: Ты часто катаешься на коньках?
Б: Да, я часто катаюсь на коньках. /
Нет, я редко катаюсь на коньках. /
Я никогда не катался на коньках.

3. Слу́шаем и чита́ем стихотворе́ние. Называ́ем вы́деленные слова́ в имени́тельном падеже́ еди́нственного числа́.

Я люблю́ **семью́**, ребя́та,
Ма́му, **па́пу** и **сестру́**.
Вам скажу́, что мы твори́ли
В позапро́шлую **весну́**.
Мы чита́ли все газе́ты
И журна́лы, и статьи́.
Е́ли вку́сные **котле́ты**,
Пи́ли сла́дкие **чай**.
Вме́сте де́лали **заря́дку**
И ходи́ли в магази́н.
Там купи́ли **земляни́ку**
И зелёный апельси́н.
Жда́ли **брата́**, пе́ли **пе́сни**,
Все игра́ли в **волейбо́л**,
А пото́м гуля́ли вме́сте,
И смотре́ли **баскетбо́л**.
Собира́ли мы **мали́ну**,
Фру́кты, о́вощи, **грибы́**…
Потеря́ли **полови́ну**,
Полови́ну испекли́.
Це́лый день лови́ли **ры́бу**,
Но не ло́вится она́!
То́лько мы закры́ли **кни́гу**,
Так зако́нчилась весна́!

Алексей
Милованов

4. Узнаём сло́во.

34 УРОК ПРОВЕРЯ́ЕМ, ЧТО МЫ ЗНА́ЕМ

ЦИФРОВА́Я СРЕДА́

 7.1. Найди́ па́ру.

 7.2. Вы́бери пра́вильную фо́рму.

 7.3. Найди правильные окончания к словам в винительном падеже.

 7.4. Найди правильные окончания к словам в винительном падеже.

 5. Де́лаем зада́ние и проверя́ем себя́.

 Кого он **любит / любить?** **Маму. / Мама.** → Кого он **любит? Маму.**

1. Кого ты **слушаете / слушаешь?** Я **слушаю / слушают** учительницу / **учительница.** 2. Кого вы **ждём / ждёте?** Мы **ждём / ждёте** друг / **друга.** 3. Кого она **видели / видела** в лесу? **Животное. / Животного.** 4. Кого **рисуют / рисует** девочка? **Кошка. / Кошку.** 5. Я не **понимаю / не понимаем** учитель / **учителя.** 6. Вы **знает / знаете** директора / **директор?** 7. Мы не **знаем / знаю** мальчик / **мальчика.** 8. Я **любить / люблю** сестру / **сестра.** 9. Ты **помнишь / помнить** дедушка / **дедушку?** 10. Учитель **учат / учит** ученика / **ученик.**

 6. Слу́шаем, повторя́ем, перево́дим.

 7. Слова́рная рабо́та 7.   **8. Прове́рочная рабо́та 7.**

 9. Дикта́нт 7.

35 УРОК ИДТИ́/Е́ХАТЬ

А теперь одна из самых сложных тем – глаголы движения.
Выбор глагола движения в русском языке зависит от того,
двигаетесь вы пешком (*идти́ / ходи́ть*) или на транспорте (*е́хать / е́здить*),
а также от того, двигаетесь вы в одном определённом направлении (*идти́/ е́хать*) или в различных или неопределённых направлениях (*ходи́ть / е́здить*).

Для начала познакомимся с двумя глаголами движения: **идти́** и **е́хать**.

ИДТИ́
ХОДИ́ТЬ

Е́ХАТЬ
Е́ЗДИТЬ

КУДА?

ИДТИ
ЕХАТЬ + СЕЙЧАС, ЗАВТРА

Запомни! Если ты идёшь куда-то пешком (*один раз и в одном направлении*), то следует использовать глагол **ИДТИ́**:

 ИДТИ́ *(пешко́м)*

Я ИДУ́ МЫ ИДЁМ
ТЫ ИДЁШЬ ВЫ ИДЁТЕ
ОН/ОНА́ ИДЁТ ОНИ́ ИДУ́Т

NB!
Ударение всегда падает на второй слог.

Прошедшее время: ШЁЛ, ШЛА, ШЛИ

Если ты едешь куда-то на транспорте (*один раз и в одном направлении*), то следует использовать глагол **Е́ХАТЬ**:

 Е́ХАТЬ *(на тра́нспорте)*

Я Е́ДУ МЫ Е́ДЕМ
ТЫ Е́ДЕШЬ ВЫ Е́ДЕТЕ
ОН/ОНА Е́ДЕТ ОНИ Е́ДУТ

NB!
Ударение всегда падает на первый слог.

Прошедшее время: Е́ХАЛ, Е́ХАЛА, Е́ХАЛИ

60 (А)(Я) У́ЧИМ СЛОВА́:

идти́	далеко́
е́хать	пото́м
ра́ньше	да́льше
по́зже	обра́тно
бли́зко	никуда́

1. Знако́мимся! Но́вые слова́.

 8.2

2. Кто идёт, а кто е́дет?

Олег   Лера   Никита   Андрей   Ольга   Гоша

61 **3. Слу́шаем, говори́м слово, проверя́ем.**

 : Я ... иду́.

4. Говори́м в проше́дшем вре́мени.

Я де́вочка. Я иду́, а вчера́ я ... . → Я де́вочка. Я иду́, а вчера́ я **шла**.

1. Э́то ма́ма. Она́ идёт, а вчера́ она́ ... .
2. Э́то де́ти. Они́ хо́дят, а вчера́ они́ ... .
3. Я де́вочка. Я иду́, а вчера́ я ... .
4. Я ма́льчик. Я иду́, а вчера́ я ... .
5. Мы друзья́. Мы идём, а вчера́ мы ... .
6. Вы сосе́ди. Вы идёте, а вчера́ вы ... .
7. Э́то ты (*м.р.*). Ты идёшь, а вчера́ ты ... .
8. Э́то ты (*ж.р.*). Ты идёшь, а вчера́ ты ... .

5. Говори́м ИДТИ́ в проше́дшем вре́мени.

1. Я тебя́ (*м.р.*) ви́дела вчера́. Куда́ ты …?
2. Я вас вчера́ ви́дела. Куда́ вы …?
3. Мы вчера́ ви́дели тебя́ (*ж.р.*). Куда́ ты …?
4. Они́ вчера́ ви́дели тебя́ (*м.р.*). Куда́ ты …?
5. Вы вчера́ ви́дели Ко́лю. Ку́да он …?

6. Мы вчера́ ви́дели их. Интере́сно, куда́ они́ …?
7. Ты вчера́ ви́дел Поли́ну. Куда́ она́ …?

6. Говори́м Е́ХАТЬ в проше́дшем вре́мени.

1. Я тебя́ (*ж.р.*) ви́дела вчера́. Куда́ ты …?
2. Я вас вчера́ ви́дела. Куда́ вы …?
3. Мы вчера́ ви́дели тебя́ (*м.р.*). Куда́ ты …?
4. Они́ вчера́ ви́дели тебя́ (*ж.р.*). Куда́ ты …?
5. Вы вчера́ ви́дели Андре́я. Куда́ он …?

6. Мы вчера́ ви́дели их. Интере́сно, куда́ они́ …?
7. Ты вчера́ ви́дел Ка́тю. Куда́ она́ …?

7. Перево́дим.

NB! На ру́сском языке́ идти́ мо́жет не то́лько челове́к.

8. Перево́дим.

1. Како́й фильм сейча́с идёт в кино́? 2. Вре́мя идёт о́чень бы́стро. 3. На у́лице идёт си́льный дождь. 4. Сего́дня идёт снег. 5. В кино́ идёт но́вый фильм. 6. Дела́ иду́т хорошо́. 7. Ти́хо! Идёт конце́рт. 8. Жизнь идёт ка́ждый час и ка́ждый год. 9. У неё сейча́с идёт уро́к. 10. Вчера́ шёл дождь. 11. Когда́ игра́ешь, вре́мя идёт бы́стро. 12. Когда́ у́чишься, вре́мя идёт ме́дленно.

36 УРОК ХОДИ́ТЬ/Е́ЗДИТЬ

Если ты ходишь куда-то пешком (*не оди́н раз, не в одно́м направле́нии, неоднокра́тно*), то следует использовать глагол **ХОДИ́ТЬ**:

 ХОДИ́ТЬ (пешко́м)

Я ХОЖУ́	МЫ ХО́ДИМ
ТЫ ХО́ДИШЬ	ВЫ ХО́ДИТЕ
ОН/ОНА́ ХО́ДИТ	ОНИ́ ХО́ДЯТ

Прошедшее время: ХОДИ́Л, ХОДИ́ЛА, ХОДИ́ЛИ

Если ты ездишь куда-то на транспорте (*не оди́н раз, не в одно́м направле́нии, неоднокра́тно*), то следует использовать глагол **Е́ЗДИТЬ**:

Е́ЗДИТЬ (на тра́нспорте)

Я Е́ЗЖУ́	МЫ Е́ЗДИМ
ТЫ Е́ЗДИШЬ	ВЫ Е́ЗДИТ
ОН/ОНА́ Е́ЗДИТ	ОНИ́ Е́ЗДЯТ

Прошедшее время: Е́ЗДИЛ, Е́ЗДИЛА, Е́ЗДИЛИ

Разделение глаголов на две группы: движение пешком и движение на транспорте – очень важно.
Нельзя сказать: *Я ходил в Москву.*
Русский человек представит, что ты ходил в Москву пешком.

ходи́ть	**+**	НИКОГДА́ ИНОГДА́ ЧА́СТО РЕ́ДКО	**+**	е́здить

NB! Со всеми глаголами движения используется вопрос КУДА́?

Куда́ ты идёшь?   *Куда́* ты хо́дишь?
Куда́ ты е́дешь?   *Куда́* ты е́здишь?

А Я У́ЧИМ СЛОВА́:

ходи́ть	домо́й	сюда́
е́здить	в го́сти туда́	

---

1. Кто хо́дит, а кто е́здит?

Яна

Егор

Никита

Ирина

Жанна

Валера

---

2. Слу́шаем, говори́м сло́во, проверя́ем.

 : Я ... хожу́.

---

3. Говори́м в проше́дшем вре́мени.

Я де́вочка. Я ча́сто хожу́, и вчера́ я **ходи́ла**.

1. Э́то ма́ма. Она́ иногда́ хо́дит и вчера́ она́ …
2. Э́то де́ти. Они́ ре́дко хо́дят, но вчера́ они́ …
3. Я де́вочка. Я ча́сто хожу́, и вчера́ я …
4. Мы друзья́. Мы ча́сто хо́дим, и вчера́ мы ….
5. Вы колле́ги. Вы ча́сто хо́дите, и вчера́ вы …
6. Он па́па. Он иногда́ хо́дит, но вчера́ он …
7. Э́то ты. Ты ре́дко хо́дишь, но вчера́ ты …

4. Говорим ХОДИ́ТЬ в проше́дшем вре́мени.

1. Мы вчера́ ви́дели тебя́ (*ж.р.*). Куда́ ты …?
2. Они́ вчера́ ви́дели тебя́ (*м.р.*). Куда́ ты …?
3. Мы вчера́ ви́дели их. Интере́сно, куда́ они́ …?
4. Ты вчера́ ви́дел А́ню. Куда́ она́ …?
5. Я тебя́ (*м.р.*) ви́дела вчера́. Куда́ ты …?
6. Я вас вчера́ ви́дела. Куда́ вы …?
7. Они́ вчера́ ви́дели Ко́лю. Куда́ он …?

5. Говорим Е́ЗДИТЬ в проше́дшем вре́мени.

1. Мы вчера́ ви́дели вас. Куда́ вы …?
2. Они́ вчера́ ви́дели тебя́ (*ж.р.*). Куда́ ты …?
3. Ты вчера́ ви́дел их. Интере́сно, куда́ они́ …?
4. Она́ ви́дела тебя́ (*м.р.*) вчера́. Куда́ ты …?
5. Я вас сего́дня ви́дела. Куда́ вы …?
6. Мы вчера́ ви́дели Ка́тю. Куда́ она́ …?
7. Ты вчера́ ви́дел Алекса́ндра. Куда́ он …?

37 УРОК КУДА́?

Давай научимся отвечать на вопрос КУДА́?

После глаголов движения ставится вопрос КУДА́? Чтобы ответить на этот вопрос, надо употребить винительный падеж с предлогом. То есть к названию места, к которому мы двигаемся, добавляется предлог В или НА и меняется окончание. Выбор окончания опять зависит от рода слова.

Прилагательное отвечает на вопрос: **Како́й? Како́е? Каку́ю? Каки́е?**
Куда́ ты е́дешь? Я е́ду в го́род.
В како́й го́род ты е́дешь? Я е́ду в но́вый го́род.
Куда́ ты идёшь? Я иду́ на свида́ние.
На како́е свида́ние ты идёшь? Я иду́ на пе́рвое свида́ние.
Куда́ ты е́здил? Я е́здил в дере́вню.
В каку́ю дере́вню ты е́здил? Я е́здил в ста́рую дере́вню.
Куда́ ты ходи́л? Я ходи́л на трениро́вки.
На каки́е трениро́вки ты ходи́л? Я ходи́л на интере́сные трениро́вки.

КУДА́?

	Мужско́й род	Же́нский род		Сре́дний род
	-й -ь Берли́н, музе́й, Брюссе́ль	**-а** Москва́	**-я** Герма́ния	**-ь** це́рковь	**-о -е** окно́, свида́ние
Прилага́-тельное	↓ Не изменя́ется	↓ -УЮ краси́вую, зи́мнюю			↓ Не изменя́ется
Существи́-тельное	↓ Не изменя́ется	↓ -У Москву́	↓ -Ю Герма́нию	↓ Не изме-ня́ется	↓ Не изменя́ется

Во мно́жественном числе́ ничего́ не меня́ется!

Э́то большо́й го́род. → Я ча́сто е́зжу в больши́е города́.

Э́то ма́ленькая дере́вня. → Мы ча́сто е́здим в ма́ленькие дере́вни.

Э́то но́вая у́лица. → Мы идём на но́вые у́лицы.

Слова́ мужско́го и сре́днего ро́да не изменя́ются. Они́ остаю́тся таки́ми же, как в имени́тельном падеже́, то́лько добавля́ется предло́г В или НА.

Э́то интере́сный музе́й. → Я иду́ в интере́сный музе́й.

Э́то Чёрное мо́ре. → Мы е́дем на Чёрное мо́ре.

Изменя́ются то́лько слова́ же́нского ро́да, кото́рые оканчивается на -А и -Я. Е́сли в имени́тельном падеже́ существи́тельное оканчивается на -А, то в вини́тельном падеже́ оно́ меня́ется на -У:

Э́то центра́льная библиоте́ка. → Мы идём в центра́льную библиоте́ку

Е́сли в имени́тельном падеже́ существи́тельное оканчивается на -Я, то в вини́тельном падеже́ оно́ меня́ется на -Ю:

Э́то интере́сная экску́рсия. → Он идёт на интере́сную экску́рсию.

Прилага́тельные оканчиваются на -УЮ или -ЮЮ.

Обрати́ внима́ние! Е́сли в имени́тельном падеже́ существи́тельное оканчивается на -Ь, то в вини́тельном падеже́ оно́ не меня́ется. Меня́ется то́лько оконча́ние прилага́тельного:

Э́то городска́я це́рковь. → Ты хо́дишь в городску́ю це́рковь.

Я ИДУ́/Е́ДУ ...

В		
в шко́лу	в апте́ку	в университе́т
в лес	в магази́н	в поликли́нику
в класс	в це́рковь	в столо́вую
в кино́	в кабине́т	в бассе́йн
в клуб	в дере́вню	в библиоте́ку
в кафе́	в музе́й	в ко́мнату
в теа́тр	в го́сти	в рестора́н
в сад	в аэропо́рт	в институ́т
в о́фис	в го́род	в выходны́е
в ба́нк	в па́рк	в гости́ницу

НА		
на уро́к	на трениро́вку	на стадио́н
на у́лицу	на свида́ние	на остано́вку
на ры́нок	на экску́рсию	на вы́ставку
на рабо́ту	на собра́ние	на кани́кулы
на мо́ре	на мероприя́тие	на па́рковку
на вокза́л	на пло́щадь	на стоя́нку

НО! домо́й

Вопрос КУДА? используется не только с глаголами движения, но и с другими глаголами.

смотре́ть (куда́?) в не́бо, писа́ть (куда́?) в тетра́дь, смотре́ть (куда́)? в окно́

---

 64 **А**я **У́ЧИМ СЛОВА́:**

| пло́щадь | клуб | вокза́л | остано́вка | бассе́йн |

биле́т
столи́ца
вы́ставка
собра́ние
мероприя́тие
экску́рсия
свида́ние
де́тский сад
находи́ться
везде́

практи́чески
институ́т
столо́вая
авто́бусный
кни́жный
городско́й
шко́льный
центра́льный
музыка́льный
совсе́м бли́зко

1. Знако́мимся! Но́вые слова́.

2. Кто говори́т: ма́льчик и́ли де́вочка?

1. Э́то говори́т …: «Когда́ я е́хала на экску́рсию, я ви́дела его́».
2. Э́то говори́т …: «Я ви́дел её, когда́ шёл на остано́вку».
3. Э́то говори́т …: «Вчера́ я не ходи́л в шко́лу. А ты ходи́ла?»
4. Э́то говори́т …: «Я не ходи́ла вчера́ в теа́тр. А ты ходи́л?»
5. Э́то говори́т …: «Ты что, вчера́ ходи́л на собра́ние? А я не ходи́ла!»

3. Говори́м, куда́ иду́т лю́ди.

Вот парк. Я … . → Вот парк. Я **иду́ в парк**.

1. Вот де́тский сад. Он … . 2. Вот ста́рый ры́нок. Ба́бушка … . 3. Вот но́вый университе́т. Она́ … . 4. Вот ру́сская библиоте́ка. Мы … . 5. Вот шко́льный бассе́йн. Ученики́ … . 6. Вот у́лица. Лю́ди … . 7. Вот центра́льный стадио́н. Спортсме́ны … . 8. Вот Центра́льный банк. Ты … .

4. Куда́ иду́т и́ли ходи́ли лю́ди?

5. Куда́ ходи́л челове́к?

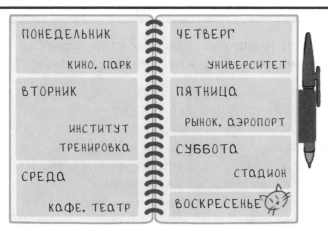

6. Говори́м, куда́ лю́ди е́дут ле́том.

- Страна́ Росси́я, столи́ца Москва́
  Он живёт в Росси́и. Она́ е́дет ле́том в Росси́ю.
  Он живёт в Москве́. Она́ е́дет ле́том в Москву́.

- Страна́ Герма́ния, столи́ца Берли́н
  Они́ … . Мы … ле́том в … . Они́ … . Мы … ле́том в … .

- Страна́ Финля́ндия, столи́ца Хе́льсинки
  Ты … . Вы … ле́том в … . Ты … . Вы … ле́том в … .

- Страна́ Великобрита́ния, столи́ца Ло́ндон
  Я … . Она́ … ле́том в … . Я … . Она́ … ле́том в … .

7. Расска́зываем, кто куда́ ходи́л.

Ко́ля: рабо́та – дом – теа́тр – трениро́вка – клуб – вокза́л – институ́т

Ка́тя: шко́ла – библиоте́ка – кафе́ – поликли́ника – собра́ние – столо́вая

8. Перево́дим на родно́й язы́к.

1. О́ля идёт в магази́н. 2. Она́ ка́ждый день хо́дит в клуб. 3. Ле́на е́дет в университе́т. 4. Он е́здит в бассе́йн ка́ждый день. 5. Неда́вно моя́ ста́ршая сестра́ ходи́ла в теа́тр. 6. Мы ча́сто хо́дим в кино́. 7. Они́ обы́чно е́здят в Финля́ндию весно́й. 8. Вчера́ мы е́здили на экску́рсию. 9. Куда́ ты идёшь? 10. Я иду́ в го́сти. 11. Я хожу́ туда́ практи́чески ка́ждый день. 12. Как ты ду́маешь, бизнесме́н ча́сто хо́дит на рабо́ту? 13. Учени́к ме́дленно идёт в класс. 14. Вы ча́сто хо́дите в поликли́нику? 15. Ве́ра ка́ждый день хо́дит на трениро́вку.

9. Говори́м, куда́ идёт челове́к и́ли где нахо́дится.

Он то́лько идёт на трениро́вк…, а она́ уже́ на трениро́вк… . →
Он то́лько идёт на трениро́вку, а она́ уже́ на трениро́вке.

1. Он то́лько идёт в шко́л…, а она́ уже́ в шко́л… .
2. Мы то́лько идём на мероприя́ти…, а они́ уже́ на мероприя́ти… .
3. Ты то́лько е́дешь на экску́рс…, а мы уже́ на экску́рс… .
4. Я то́лько иду́ в музе́й…, а она́ уже́ в музе́… .
5. Вы то́лько идёте на остано́вк…, а они́ уже́ на остано́вк… .
6. Они́ то́лько е́дут в институ́т…, а я уже́ в институ́т… .
7. Она́ то́лько е́дет на вокза́л…, а мы уже́ на вокза́л… .
8. Мы то́лько идём в столо́в…, а вы уже́ в столо́в… .

10. Расска́зываем сосе́ду, где сейча́с нахо́дятся лю́ди.

Учени́к 1:
1. У́тром он ходи́л в шко́лу.
2. Днём они́ ходи́ли в музе́й.
3. Ве́чером мы ходи́ли в бассе́йн.
4. Вчера́ я ходи́л на трениро́вку.
5. Сего́дня ты ходи́л в магази́н.
6. В сре́ду вы ходи́ли на собра́ние.

Учени́к 2:
Сейча́с он в шко́ле.
Сейча́с они́ в … .
Сейча́с мы в … .
Сейча́с я на … .
Сейча́с ты в … .
Сейча́с вы на … .

11. Заменя́ем глаго́лы ХОДИ́ТЬ/Е́ЗДИТЬ на глаго́л БЫТЬ.

В выходны́е па́па ходи́л на рабо́ту. → В выходны́е па́па **был на рабо́те**.

1. В воскресе́нье он ходи́л в це́рковь. 2. Я ходи́ла в клуб. 3. Наш учи́тель е́здил на мероприя́тие. 4. Мы ходи́ли на стадио́н. 5. Вы е́здили на ры́нок? 6. Ты ходи́л вчера́ ве́чером в институ́т? 7. Они́ е́здили на экску́рсию в Ло́ндон. 8. В сре́ду я иду́ в апте́ку. 9. Ма́ма ходи́ла вчера́ на собра́ние. 10. Мы ходи́ли на вокза́л.

12. Заменя́ем глаго́л БЫТЬ на глаго́лы ХОДИ́ТЬ / Е́ЗДИТЬ.

В выходны́е папа был на работе. → В выходны́е папа **ходил на работу**.

1. В суббо́ту я был в теа́тре. 2. Днём они́ бы́ли в суперма́ркете. 3. Сего́дня ма́ма была́ в поликли́нике. 4. Ле́том мы бы́ли в дере́вне. 5. Друзья́ бы́ли вчера́ на у́лице. 6. Вы бы́ли в Хе́льсинки? 7. Ты был сего́дня на мероприя́тии? 8. Мы бы́ли в суббо́ту в Берли́не, а в воскресе́нье – в Ло́ндоне. 9. Я был в Москве́, в библиоте́ке. 10. Вы бы́ли в магази́не в четве́рг?

13. Чита́ем текст. Задаём вопро́сы к вы́деленным слова́м.

Сейча́с Маргари́та живёт и рабо́тает **в Герма́нии** (.............?). **В Герма́нии** (.............?) она́ живёт **в Берли́не** (.............?). Она́ прие́хала **в Берли́н** (.............?) уже́ давно́. Здесь она́ у́чится **в университе́те** (.............?). Её роди́тели живу́т **в Хе́льсинки** (.............?). **Там** (.............?) живу́т её бра́тья и сёстры, люби́мый ма́льчик и друзья́. Она́ мо́жет е́здить **в Хе́льсинки** (.............?), когда́ не у́чится. Но она́ не мо́жет е́здить ча́сто. Биле́ты сто́ят до́рого. Поэ́тому она́ е́здит **домо́й** (.............?) оди́н раз в ме́сяц. **В Берли́не** (.............?) Маргари́та живёт **в це́нтре** (.............?). Университе́т то́же нахо́дится **в це́нтре** (.............?). Ча́сто в суббо́ту и воскресе́нье Маргари́та е́здит в Ро́сток (.............?) **на мо́ре** (.............?). Ещё она́ е́здила **в Росси́ю** (.............?) **в Санкт-Петербу́рг** (.............?). Ей нра́вится е́здить **на экску́рсии** (.............?) и ходи́ть **в теа́тры и музе́и** (.............?).

14. Прове́рь свою́ ло́гику. Чита́ем и говори́м, кто, когда́ и куда́ е́здил.

КТО, КОГДА́ И КУДА́ Е́ЗДИЛ?

Андре́й, Па́вел, Дми́трий и Йвар е́здили зимо́й, весно́й, ле́том и о́сенью в Росси́ю. Ма́льчики е́здили в Москву́, Санкт-Петербу́рг, Псков и Но́вгород. НО! Они́ никогда́ не е́здили вме́сте. Е́сли Андре́й, наприме́р, весно́й е́здил в Москву́, то Па́вел, Дми́трий и Йвар весно́й туда́ не е́здили.

	зима	весна	лето	осень
Андрей				
Павел				
Дмитрий				
Ивар				

Мы зна́ем, что зимо́й Дми́трий е́здил в Но́вгород, весно́й – в Псков. Андре́й весно́й е́здил в Москву́, Йвар ле́том – в Санкт-Петербу́рг, а Па́вел о́сенью – в Но́вгород.

---

15. Смо́трим мультфи́льм. Слу́шаем пе́сенку.

Мы е́дем, е́дем, е́дем
В далёкие края́,
Хоро́шие сосе́ди,
Счастли́вые друзья́.

Нам ве́село живётся,
Мы пе́сенку поём,
И в пе́сенке поётся
О том, как мы живём.

Тра-та-та! Тра-та-та!
Мы везём с собо́й кота́,
Чи́жика, соба́ку,
Пе́тьку-забия́ку,
Обезья́ну, попуга́я –
Вот компа́ния кака́я!

Мы едем, едем, едем...

Слова Сергея Михалкова
Музыка Михаила Старокадомского

38 УРОК ПРИВЕ́Т! ТЫ КУДА́?

1. Слу́шаем и чита́ем диало́ги.

66

1

Приве́т! Куда́ идёшь?

> В библиоте́ку. Извини́, я о́чень спешу́!

А где ты бу́дешь пото́м? Мо́жет встре́тимся?

> Я не могу́. Е́ду сего́дня в Хе́льсинки. Бу́ду в Та́ллине в суббо́ту. Встре́тимся в суббо́ту?

В суббо́ту я не могу́. Я е́ду на экску́рсию в Та́рту.

2

Я вчера́ е́хал на авто́бусе и ви́дел вас в маши́не. Куда́ вы е́хали?

> Мы е́здили в Пя́рну и ходи́ли там в бассе́йн. А куда́ ты е́здил вчера́ на авто́бусе?

Я е́здил на интере́сное мероприя́тие в Ха́апсалу.

4

Заче́м ты туда́ идёшь?

> Там бу́дут о́чень интере́сные ве́щи!

А кто там бу́дет?

> Там бу́дут все друзья́ и знако́мые.

А где э́то бу́дет?

> В На́рве, в рестора́не.

3

Ви́дел тебя́ вчера́. Куда́ ты шёл?

> Вчера́? Когда́?

Приме́рно в пять.

> Я шёл на трениро́вку. А где ты меня́ ви́дел?

На центра́льной пло́щади.

6

Алло́! Ты идёшь на вы́ставку?

> Приве́т! Да, иду́.

Ты уже́ там?

> Нет, я то́лько иду́ туда́. Я ещё на у́лице.

5

Я вас ви́дела вчера́ ве́чером, тебя́ и Ма́шу. Куда́ вы шли? В кино́?

> Нет, мы ходи́ли в но́вый рестора́н. А где и когда́ ты нас ви́дела?

Я ви́дела вас в го́роде, на у́лице, когда́ шла на свида́ние.

8

Я слы́шал, ты е́дешь в Ри́гу.

> Да, я ещё не был в Ри́ге.

Тома́с то́же е́дет?

> Нет. Он был там ра́ньше.

Когда́ ты е́дешь?

> За́втра. У меня́ уже́ есть биле́т.

7

Куда́ вы ходи́ли?

> Мы ходи́ли на мо́ре, а пото́м на но́вую вы́ставку.

9

Куда́ вы е́дете отдыха́ть?

В Финля́ндию, на мо́ре.

И ча́сто вы туда́ е́здите?

Ка́ждый год.

10

Приве́т!

Приве́т!

Куда́ вы идёте?

Мы идём в парк, а пото́м в кафе́.

Я то́же люблю́ ходи́ть в парк, но сейча́с ре́дко хожу́. А мо́жно я то́же пото́м пойду́ с ва́ми в кафе́?

Мо́жно.

11

Приве́т!

Приве́т!

Ты куда́ идёшь?

Я иду́ на ры́нок. Хочу́ купи́ть хоро́шее мя́со, све́жие о́вощи и фру́кты. А куда́ ты идёшь?

Я иду́ на стадио́н. Сего́дня игра́ют «Фло́ра» и «Лева́дия». Бу́дет интере́сная игра́!

12

Куда́ идёшь?

В кино́.

И ча́сто ты хо́дишь туда́?

Да, ка́ждую неде́лю. А ты что здесь де́лаешь?

Я жду подру́гу. У меня́ свида́ние. А пото́м мы идём на спорти́вное мероприя́тие.

13

Приве́т!

Приве́т!

Рад ви́деть тебя́. Куда́ идёшь?

В Ру́сский теа́тр.

Ты ча́сто туда́ хо́дишь?

Да, ка́ждую суббо́ту.

А я ре́дко хожу́ в теа́тр, мне бо́льше нра́вится ходи́ть на стадио́н смотре́ть футбо́л.

14

Куда́ вы сейча́с идёте?

Сейча́с мы идём в парк.

Вы ча́сто хо́дите в парк?

Да, мы ча́сто хо́дим в парк. Вчера́ мы то́же ходи́ли туда́.

Ско́лько вре́мени вы идёте в парк?

Мы идём туда́ полчаса́.

Что вы де́лаете, когда́ идёте?

Когда́ мы идём туда́, мы мно́го говори́м.

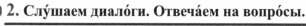 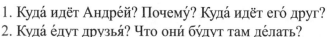

🎧 67 **2. Слу́шаем диало́ги. Отвеча́ем на вопро́сы.**

1. Куда́ идёт Андре́й? Почему́? Куда́ идёт его́ друг?
2. Куда́ е́дут друзья́? Что они́ бу́дут там де́лать?
3. Почему́ И́горь е́дет в Та́рту? Куда́ идёт его́ друг?

4. Куда́ идёт Марк и почему́? Куда́ идёт его́ друг, и что он бу́дет там де́лать?

3. Составля́ем диало́ги.

1

А: Привет, Дина! Куда ты идёшь?
А: А я редко хожу в библиотеку. Обычно я читаю дома.
А: Пока, Дина!
А: Ты часто ходишь в библиотеку?

Б: Да. Я люблю читать в библиотеке.
Б: Привет, Лена! Я иду в библиотеку.
Б: Понятно. Пока!

2

А: Привет, Олег! Я тебя вчера видела на остановке. Куда ты ехал?
А: Ты знаешь, я иногда езжу на центральный стадион смотреть футбол.
А: А куда ты ездишь играть в футбол?
А: В бассейн?

Б: Нет, я не только плаваю, но ещё и играю в футбол.
Б: Сегодня тоже будет интересная игра!
Б: Привет, Майя! Я ехал на тренировку.
Б: На центральный стадион.

3

А: Привет, Тамара! Куда твоя бабушка шла в субботу утром?
А: В поликлинику ей тоже нравится ездить?
А: А куда она ехала в понедельник днём?
А: Ей нравится ходить на рынок?

Б: Да, очень. Бабушка говорит, что только там можно купить хорошие фрукты и овощи.
Б: Привет, Таня! Бабушка? В субботу? А, наверно, на рынок. Она всегда ходит на рынок в субботу.
Б: Думаю, что не нравится.
Б: В понедельник она ездила в поликлинику.

4

А: Куда вы едете отдыхать?
А: А куда именно вы едете? В столицу?
А: А что вы будете делать?
А: И часто вы ездите в Англию?

Б: Нет. Первый раз. Раньше мы не ездили в Англию.
Б: Будем ходить на экскурсии.
Б: Мы едем в Англию.
Б: Да. В Лондон.

5

A: Привет, Регина! Куда ты так поздно идёшь?
A: А я был в магазине. Уже иду обратно.
A: Хлеб, масло и колбасу.
A: Это далеко?

Б: Нет, близко. А ты куда идёшь?
Б: Привет, Алекс! Я иду в гости.
Б: Что ты там купил?

6

A: Привет, Саша! Куда позавчера вечером шли твои родители?
A: Зачем?
A: А ты где был?

Б: Привет, Маша! Мама шла на собрание, а папа шёл на работу.
Б: Моя младшая сестра туда ходит.
Б: А я ходил в детский сад.

7

A: Вы уже ходили на новую выставку?
A: Ну, может, вы иногда ходите в театр или в кино?
A: А куда вы часто ходите?

Б: А зачем? У нас дома есть телевизор. Мы смотрим всё, что хотим.
Б: Часто мы ходим в рестораны, в кафе и в супермаркеты.
Б: Нет. Мы редко ходим на выставки.

8

A: Привет, Ваня! Куда ты едешь на каникулы?
A: И часто ты туда ездишь?
A: Уже завтра едешь?
A: В деревню? Кто у тебя там живёт?
A: А что ты там делаешь?
A: Пока!

Б: Да, завтра рано еду на вокзал. Извини, я спешу. Пока!
Б: Хожу каждый день на море и в лес.
Б: Привет, Слава! Я еду в деревню.
Б: Да. Каждое лето.
Б: Дедушка.

39 УРОК | НА ЧЁМ ТЫ Е́ДЕШЬ?

Чтобы сказать, на каком транспорте вы едете, надо поставить это слово в предложный падеж.

ехать / ездить на чём?

ЧТО?	НА ЧЁМ?
маши́на	на маши́не
авто́бус	на авто́бусе
такси́	на такси́
велосипе́д	на велосипе́де
по́езд	на по́езде
маршру́тка	на маршру́тке

НО! идти́/ходи́ть *(как?)* пешко́м!

А Я У́ЧИМ СЛОВА́:

троллейбус   автобус   трамвай   поезд

маршру́тка   такси́ *(не изменяется)*   велосипе́д

сло́жный   пешко́м   логи́стика

---

1. Знако́мимся! Но́вые слова́.

2. На чём и куда́ е́дут/е́здили лю́ди?

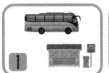    

1 **2** **3** **4** **5**

3. Слу́шаем и чита́ем диало́ги.

1
На чём ты е́дешь на рабо́ту?

На авто́бусе, а пото́м иду́ пешко́м. А ты?

Я то́лько на авто́бусе.

3
На чём ты е́здишь в шко́лу?

На авто́бусе.

И ско́лько вре́мени ты е́дешь?

Приме́рно час.

Так до́лго!

Я в авто́бусе чита́ю кни́ги, и вре́мя идёт бы́стро.

5
Вы вчера́ е́здили в лес?

Да.

Вы ча́сто е́здите в лес?

Да, ча́сто.

На чём вы обы́чно е́здите?

Обы́чно мы е́здим на маши́не, но вчера́ е́здили на маршру́тке.

Что вы де́лаете, когда́ е́дете на маршру́тке.

Вчера́ про́сто сиде́ли и смотре́ли в окно́.

7
На чём ты обы́чно е́дешь домо́й?

Обы́чно я е́ду на авто́бусе. А ты?

А я люблю́ е́здить домо́й на маши́не и́ли на такси́.

2
Куда́ вы е́здили на кани́кулы?

Мы е́здили на по́езде в Петербу́рг. А вы куда́ е́здили отдыха́ть?

Мы е́здили отдыха́ть в Ло́ндон.

Ско́лько вре́мени вы отдыха́ли?

Це́лый ме́сяц. А ско́лько вре́мени вы е́хали?

Пять часо́в!

4
Что вы де́лали вчера́?

Мы е́здили в лес на маши́не собира́ть грибы́. А вы куда́ е́здили?

Мы никуда́ не е́здили. Мы ходи́ли пешко́м в го́род смотре́ть кино́.

6
Куда́ ты идёшь?

На вокза́л. Е́ду сего́дня в Москву́. А ты что здесь де́лаешь?

Иду́ домо́й пешко́м. Авто́бусы сего́дня не е́здят.

Почему́ не на такси́?

Не хочу́.

8
Как вы е́здите в лес?

Снача́ла мы е́дем на авто́бусе. Пото́м е́дем на маршру́тке. Пото́м уже́ идём пешко́м и собира́ем грибы́.

А мы сра́зу е́дем туда́ на по́езде! И собира́ем не то́лько грибы́, но и я́годы!

4. Слу́шаем диало́ги. Отвеча́ем на вопро́сы.

1. На чём е́дет ребёнок в шко́лу? Ско́лько вре́мени он е́дет?
2. Куда́ е́дет ребёнок на маршру́тке? Ско́лько вре́мени он е́дет?
3. Куда́ шёл ребёнок? На чём он е́хал?
4. Где был ребёнок? Ско́лько вре́мени он там был? На чём он туда́ е́здил?

5. Составля́ем диало́ги.

1

А: На чём вы лю́бите ездить?
А: А на чём вы ездите отдыхать?
А: А зимой?

Б: Отдыхать ездим всегда только на машине.
Б: Зимой мы ездим обычно на машине.
Б: Летом, конечно, на велосипеде.

2

А: На чём ваши дети ездят в школу?
А: А сколько времени они едут?
А: Так быстро?

Б: Пятнадцать минут.
Б: Да. Школа близко.
Б: На трамвае.

3

А: Ты ходишь на работу пешком?
А: А почему ты не ездишь на машине?
А: На чём ты ездишь на работу?

Б: Иногда езжу на автобусе, а иногда – на маршрутке.
Б: Ты что? У меня работа далеко.
Б: На машине ездит моя жена.

4

А: Ты вчера ездила на центральный рынок?
А: Только троллейбус туда не ходит?
А: А как ты ехала?

Б: Сначала ехала на троллейбусе, а потом – на автобусе.
Б: Нет, не ходит.
Б: Да, ездила.

А: Здравствуйте! Куда вы идёте?
А: Почему вы идёте пешком, а не едете на такси?
А: На вокзал? А куда вы едете?

5

Б: На такси слишком дорого.
Б: Мы едем на поезде в Россию.
Б: Добрый вечер! Мы идём на вокзал.

6. Ролева́я игра́. Составля́ем диало́ги при по́мощи ка́рточек.

7. Узнаём сло́во.

ЦИФРОВА́Я СРЕДА́

8.1. *Идти, ходить, ехать, ездить.*
Выбери правильную форму.

8.2. Куда едут или идут люди? Соедини картинку
и слово. Послушай, как произносится.

8.3. Мозаика. Если разгадаешь пазл, то узнаешь, куда едут
туристы.

8.4. На чём едут люди? Соедини картинку и слово.
Послушай, как произносится.

40 УРОК | СЕМЕ́ЙНАЯ ЛОГИ́СТИКА

1. 1) Слу́шаем. 2) Чита́ем и перево́дим. 🎧 71

СЕМЕ́ЙНАЯ ЛОГИ́СТИКА

У меня́ не о́чень больша́я семья́, но у нас в семье́ о́чень сло́жная логи́стика. Ка́ждый раз мы ду́маем, куда́ и на чём е́хать. Мо́жно написа́ть це́лый уче́бник! Роди́тели хо́дят на рабо́ту ка́ждый день. Ма́ма рабо́тает недалеко́, но всё равно́ снача́ла она́ е́дет на авто́бусе, а пото́м идёт пешко́м. Па́па всегда́ е́здит на рабо́ту на маши́не.

Я е́зжу в шко́лу на авто́бусе. Хорошо́, что авто́бусная остано́вка совсе́м бли́зко. Я иду́ всего́ 3 мину́ты. В понеде́льник я хожу́ в музыка́льную шко́лу. Туда́ я е́ду снача́ла на авто́бусе, а пото́м – на трамва́е. В сре́ду я игра́ю на стадио́не в футбо́л. Хорошо́, что стадио́н нахо́дится недалеко́. Я о́чень рад! Туда́ я хожу́ пешко́м.

Моя́ мла́дшая сестра́ ещё ма́ленькая. Она́ хо́дит в де́тский са́д. Па́па и она́ е́дут в го́род. Сестра́ идёт в са́д, а па́па пото́м е́дет да́льше на рабо́ту.

Ста́рший брат у́чится в университе́те в Та́рту. У него́ есть маши́на, но в Та́рту он е́здит на авто́бусе. Та́рту – ма́ленький го́род, поэ́тому в Та́рту он хо́дит везде́ пешко́м: в библиоте́ку, в университе́т и домо́й.

Хорошо́, что есть выходны́е, когда́ мы все сиди́м до́ма, отдыха́ем, никуда́ не хо́дим и не е́здим!

3) Найдём и прочита́ем отры́вок, в кото́ром говори́тся, что ...

а) мла́дшая сестра́ хо́дит в де́тский са́д;
б) в выходны́е семья́ никуда́ не е́здит;
в) па́па е́здит на рабо́ту на маши́не;
г) брат е́здит на авто́бусе;
д) ма́льчик хо́дит в музыка́льную шко́лу.

4) Послу́шаем за́пись и ска́жем пра́вильно.

5) Отвеча́ем на вопро́сы.

1. Кака́я семья́ у ма́льчика? 2. Кака́я пробле́ма есть у э́той семьи́?
3. Куда́ хо́дят роди́тели ка́ждый день? 4. Как ма́ма е́дет на рабо́ту? 5. Как е́здит на рабо́ту па́па? 6. Как е́здит в шко́лу сам ма́льчик? 7. Где нахо́дится авто́бусная остано́вка? 8. Куда́ хо́дит ма́льчик в понеде́льник? 9. Куда́ он хо́дит в сре́ду?
10. Как он е́дет в музыка́льную шко́лу? 11. Как он е́дет на стадио́н? 12. Куда́ хо́дит мла́дшая сестра́? 13. Где у́чится ста́рший брат? 14. Как он е́здит в Та́рту?
15. Как он е́здит в библиоте́ку и университе́т? 16. Что семья́ де́лает в выходны́е?

6) Расска́зываем в проше́дшем вре́мени.

У меня́ была́ не о́чень больша́я семья́, но у нас в семье́ была́ о́чень сло́жная логи́стика. …

**7) Прочитай слова, которые относятся 1) к теме «Транспорт»,
  2) к теме – «Еда», 3) к теме «Места». Составь предложения.**

8) Расска́зываем, кака́я логи́стика у вас в семье́. Спра́шиваем дру́га о логи́стике в его́ семье́. Расска́зываем о дру́ге и его́ семье́.

1. Куда́ и на чём ты е́дешь у́тром? 2. Куда́ и на чём е́дет у́тром твоя́ ма́ма? 3. Куда́ и на чём е́дет твой па́па? 4. Как е́дут в шко́лу, де́тский сад и́ли на рабо́ту твой брат и сестра́?

4 | УРОК   ПРОВЕРЯ́ЕМ, ЧТО МЫ ЗНА́ЕМ

1. Де́лаем зада́ние и проверя́ем себя́!

Куда они **еду / едут**? **Никогда. / Никуда.** → Куда они **едут**? **Никуда.**

1. Куда вы **идём / идёте** вечером? **В клубе. / В клуб.** 2. Зачем ты **едешь / еду** на **вокзал / на вокзале**? Я **едешь / еду** на **поезде / поезд** в **Москва / в Москву**. 3. Она часто **ходить / ходит** пешком **/ в пешком**. 4. Я никогда **не езжу / не хожу** на такси **/ на таксе**. 5. Сколько **время / времени** ты **идём / идёшь** на **университет / в университет**? Я **идут / иду** двадцать **минуты / минут**. 6. На чём он **ездит / ездят** на **работу / в работу**? **На автобус. / На автобусе.** 7. Где **находится / находятся** новое кафе? **На площади. / В площади.** 8. Как вы **ездят / ездите** в **деревню / на деревню**? **На машине. / На машину.** 9. Где ты была **завтра / вчера**? Я **ездил / ездила** на **рынок / на рынке**. 10. Куда он **ходила / ходил** в субботу? **В музее. / В музей.**

2. Слу́шаем, повторя́ем, перево́дим.

3. Слова́рная рабо́та 8.

4. Прове́рочная рабо́та 8.

5. Дикта́нт 8.

ПУТЕШЕ́СТВУЕМ

42 УРОК ГОТО́В, ЗА́НЯТ, СВОБО́ДЕН, СОГЛА́СЕН, ДО́ЛЖЕН

1. Давай теперь познакомимся с важными словами: гото́в, за́нят, свобо́ден, согла́сен. Они изменяются в роде и числе.

Настоя́щее вре́мя

▼ *Я гото́в, за́нят, свобо́ден, согла́сен.*
Ты гото́в, за́нят, свобо́ден, согла́сен.
Он гото́в, за́нят, свобо́ден, согла́сен.

▲ *Я гото́ва, занята́, свобо́дна, согла́сна.*
Ты гото́ва, занята́, свобо́дна, согла́сна.
Она́ гото́ва, занята́, свобо́дна, согла́сна.

● *Э́то гото́во, за́нято, свобо́дно, согла́сно.*

Мн. ч. *Мы гото́вы, за́няты, свобо́дны, согла́сны.*
Вы гото́вы, за́няты, свобо́дны, согла́сны.
Они́ гото́вы, за́няты, свобо́дны, согла́сны.

Проше́дшее вре́мя

▼ *Я был гото́в, за́нят, свобо́ден, согла́сен.*
Ты был гото́в, за́нят, свобо́ден, согла́сен.
Он был гото́в, за́нят, свобо́ден, согла́сен.

▲ *Я была́ гото́ва, занята́, свобо́дна, согла́сна.*
Ты была́ гото́ва, занята́, свобо́дна, согла́сна.
Она́ была́ гото́ва, занята́, свобо́дна, согла́сна.

● *Э́то бы́ло гото́во, за́нято, свобо́дно, согла́сно.*

Мн. ч. *Мы бы́ли гото́вы, за́няты, свобо́дны, согла́сны.*
Вы бы́ли гото́вы, за́няты, свобо́дны, согла́сны.
Они́ бы́ли гото́вы, за́няты, свобо́дны, согла́сны.

Бу́дущее вре́мя

▼ *Я бу́ду гото́в, за́нят, свобо́ден, согла́сен.*
Ты бу́дешь гото́в, за́нят, свобо́ден, согла́сен.
Он бу́дет гото́в, за́нят, свобо́ден, согла́сен.

▲ *Я бу́ду гото́ва, занята́, свобо́дна, согла́сна.*
Ты бу́дешь гото́ва, занята́, свобо́дна, согла́сна.
Она́ бу́дет гото́ва, занята́, свобо́дна, согла́сна.

● *Э́то бу́дет гото́во, за́нято, свобо́дно, согла́сно.*

Мы бу́дем гото́вы, за́няты, свобо́дны, согла́сны.
Мн. ч. *Вы бу́дете гото́вы, за́няты, свобо́дны, согла́сны.*
Они́ бу́дут гото́вы, за́няты, свобо́дны, согла́сны.

Кра́ткие прилага́тельные *рад* и *до́лжен* изменя́ются так же.

Настоя́щее вре́мя	Проше́дшее вре́мя	Бу́дущее вре́мя
▼		
Я рад.	Я был рад.	Я бу́ду рад.
Ты рад.	Ты был рад.	Ты бу́дешь рад.
Он рад.	Он был рад.	Он бу́дет рад.

Настоя́щее вре́мя	Проше́дшее вре́мя	Бу́дущее вре́мя
▲		
Я ра́да.	Я была́ ра́да.	Я бу́ду ра́да.
Ты ра́да.	Ты была́ ра́да.	Ты бу́дешь ра́да.
Она́ ра́да.	Она́ была́ ра́да.	Она́ бу́дет ра́да.

Мно́жественное число́

Мы ра́ды.	Мы бы́ли ра́ды.	Мы бу́дем ра́ды.
Вы ра́ды.	Вы бы́ли ра́ды.	Вы бу́дете ра́ды.
Они́ ра́ды.	Они́ бы́ли ра́ды.	Они́ бу́дут ра́ды.

Настоя́щее вре́мя	Прошéдшее вре́мя	Бу́дущее вре́мя
Я до́лжен.	Я был до́лжен.	Я бу́ду до́лжен.
Ты до́лжен.	Ты был до́лжен.	Ты бу́дешь до́лжен.
Он до́лжен.	Он был до́лжен.	Он бу́дет до́лжен.

Я должна́.	Я была́ должна́.	Я бу́ду должна́.
Ты должна́.	Ты была́ должна́.	Ты бу́дешь должна́.
Она́ должна́.	Она́ была́ должна́.	Она́ бу́дет должна́.

Э́то должно́.	Э́то бы́ло должно́.	Э́то бу́дет должно́.

Мно́жественное число́

Мы должны́.	Мы бы́ли должны́.	Мы бу́дем должны́.
Вы должны́.	Вы бы́ли должны́.	Вы бу́дете должны́.
Они́ должны́.	Они́ бы́ли должны́.	Они́ бу́дут должны́.

  75 Ⓐ Ⓨ У́ЧИМ СЛОВА́:

гото́в	до́лжен	про́сто
за́нят	пра́здник	рад
свобо́ден	гость (*м.р.*)	
согла́сен	сериа́л	

 9.1 **1. Знако́мимся! Но́вые слова́.**

2. Отвеча́ем отрица́тельно.

Ты гото́в? → Нет, я не гото́в.

1. Ты за́нят? 2. Вы согла́сны? 3. Ты ра́да? 4. Здесь свобо́дно? 5. Ты до́лжен это де́лать? 6. Вы гото́вы? 7. Они́ за́няты? 8. Ты ещё не гото́в? 9. Она́ не ра́да? 10. Вы свобо́дны? 11. Ты не за́нят? 12. Ты гото́ва отвеча́ть? 13. Вы гото́вы писа́ть? 14. Тут не за́нято? 15. Ты свобо́ден? 16. Вы не ра́ды?

3. Слу́шаем и чита́ем диало́ги.

76

1

— Извини́те, я до́лжен идти́!

— Куда́ ты до́лжен идти́?

— У меня́ сейча́с должны́ быть уро́ки. Я иду́ в шко́лу.

2

— Приве́т! Дава́й за́втра встре́тимся!

— Согла́сен!

— То́лько я до́лжен снача́ла убра́ть кварти́ру.

— Хорошо́! Тогда́ я иду́ гуля́ть с соба́кой, а пото́м мы встре́тимся в кафе́.

3

— У тебя́ бу́дет контро́льная рабо́та. Ты гото́в?

— Да, гото́в. А ты гото́ва?

— Нет, я не гото́ва. Я должна́ была́ це́лый ве́чер убира́ть кварти́ру и гото́вить еду́.

4

— Я ра́да, что ты так хорошо́ у́чишься.

— Я то́же рад. Но я до́лжен хорошо́ учи́ться! Моя́ ма́ма – дире́ктор в шко́ле.

— А я не хочу́ учи́ться. Ка́ждый ве́чер я занята́. Я хожу́ на трениро́вки, гуля́ю с соба́кой, гото́влю еду́.

— А я ве́чером свобо́ден, поэ́тому сижу́ и де́лаю уро́ки.

5

— Алло́!

— Приве́т! Извини́, я не могу́ говори́ть.

— Почему́? Ты за́нят?

— Да, я до́лжен идти́ на трениро́вку.

6

— Ты до́лжен сего́дня идти́ на рабо́ту?

— Нет, не до́лжен. У меня́ сего́дня выходно́й, и я це́лый день свобо́ден. А ты?

— Я у́тром за́нят, а ве́чером свобо́ден.

— Отли́чно! Дава́й встре́тимся ве́чером.

— Согла́сен. Когда́?

— В шесть.

7

Привет!

Привет!

Тепе́рь я свобо́ден. Могу́ говори́ть. Что ты хоте́л?

Хоте́л встре́титься за́втра в три часа́ в кафе́.

Я не могу́! Я до́лжен за́втра идти́ в университе́т, а пото́м в це́рковь.

8

Ты не до́лжен уже́ идти́ спать?

Да, согла́сен. У меня́ за́втра уро́ки начина́ются о́чень ра́но.

А когда́ зака́нчиваются уро́ки?

В 2 часа́.

А пото́м ты за́нят?

В 3 у меня́ трениро́вка, а пото́м я абсолю́тно свобо́ден.

4. Слу́шаем диало́ги. Отвеча́ем на вопро́сы.

1. Куда́ до́лжен идти́ Ро́берт? Когда́ он свобо́ден?
2. Куда́ до́лжен идти́ ма́льчик? Куда́ должна́ идти́ де́вочка?
3. Что должна́ де́лать де́вочка? Куда́ до́лжен е́хать ма́льчик?
4. Когда́ бу́дет свобо́ден Ма́рко? Когда́ свобо́ден А́ндрес?

5. Составля́ем диало́ги.

1

А: Мама, я сегодня получил хорошую оценку в школе.
А: Да, я должен учить новые слова.
А: Я тоже рад. Но завтра опять контрольная работа.

Б: Хорошо. А я должна готовить ужин.
Б: Будешь опять вечером занят?
Б: Я очень рада.

2

А: Привет, Алина! Я тебе вчера звонил. Ты не отвечала.
А: Согласен. Я его тоже учил. А сегодня ты не занята?
А: Я очень рад. Давай тогда встретимся!
А: Да? А что ты делала?

Б: Я должна была учить диалог по-английски. Он был очень трудный.
Б: Привет, Миша! Я была очень занята.
Б: Сегодня я свободна.
Б: Давай!

A: Дети! Вы уже должны идти спать.

A: Я помню, что завтра суббота. У вас завтра тренировка начинается в девять. Вы готовы встать в восемь?

A: Нет, уже поздно.

3

Б: Мы не должны завтра идти в школу. Завтра суббота.

Б: Да, мы согласны встать рано.

Б: Ну, мама, ещё рано!

A: Паша, ты будешь рад, если мы завтра встретимся?

A: Точно. Завтра праздник! Я тоже занята.

A: Как занят? Ты говорил, что будешь свободен.

A: Я согласна. Договорились!

4

Б: Хорошо. Давай тогда встретимся послезавтра.

Б: Мила, я, конечно, буду рад. Но я завтра буду занят.

Б: Извини! Я забыл, что должен завтра идти в гости.

A: Привет, Артём! Ты свободен? Можешь говорить?

A: А я не готова. Я целый день убирала квартиру и устала.

A: Ты готов?

A: Я просто хотела спросить, ты идёшь завтра в школу?

5

Б: Конечно, иду. Я должен завтра отвечать на вопросы.

Б: Привет, Ира! Да, могу. Я рад, что ты звонишь.

Б: Да, готов. А ты?

43 урок СЕГОДНЯ ПРАЗДНИК

78 **1. 1) Слушаем. 2) Читаем и переводим.**

СЕГОДНЯ ПРАЗДНИК

1 Сегодня праздник. Наша семья дома. Все свободны и отдыхают. У нас сегодня гости: Сергей и его жена Наталья, а также их сын Кирилл и дочь Катя. Я очень рад. Я люблю их семью.

2 Мой папа и Сергей сидят на диване. Они сейчас заняты, потому что играют в шахматы.

3 Я и Кирилл играем на компьютере в компьютерную игру. Он говорит, что это совсем новая и очень интересная игра. Я согласен.

4 Наталья сидит и смотрит телевизор. Она красивая, модная и любит сериалы.

5 Катя просто играет, она ещё ребёнок. Только мама работает. Мама должна готовить обед. Сегодня она делает вкусные пироги. Мама делает всё очень быстро, она тоже хочет отдыхать. «Всё, обед готов! Давайте есть! Приятного аппетита!» – говорит мама.

3) Найдём и прочитаем отрывок, в котором говорится, что ...

а) папа и гость играют в шахматы;
б) Наталья красивая;
в) в семье сегодня гости;
г) мальчики играют в компьютер;
д) мама делает пироги.

79 **4) Послушаем запись и скажем правильно.**

5) Отвеча́ем на вопро́сы.

1. Что де́лает семья́? 2. Что де́лают па́па и Серге́й? 3. Почему́ па́па не помога́ет ма́ме? 4. Ма́льчик рад и́ли нет? 5. Что де́лают ма́льчики? 6. Что де́лает Ната́лья? 7. Что она́ лю́бит? Кака́я она́? 8. Что лю́бит Ка́тя? 9. Что должна́ де́лать ма́ма? 10. Что хо́чет де́лать ма́ма?

6) Расска́зываем в проше́дшем вре́мени.

Вчера́ был пра́здник. На́ша семья́ была́ до́ма…

7) Опиши́ картинку.

1. Как ты ду́маешь, какой это праздник?

2. Кто на картинке?

3. Как ты ду́маешь, на картинке утро, день или вечер?

4. Как ты ду́маешь, семья завтракает, обедает или ужинает?

5. Где семья сидит?

6. Что на столе?

7. Что делает семья?

8. Что ест семья?

9. Что пьёт семья?

10. Где цветок?

🖣 ЦИФРОВА́Я СРЕДА́

9.1.
Вы́бери пра́вильную фо́рму.

9.2.
Найди́ отве́т на вопро́с.

9.3.
Вы́бери пра́вильную фо́рму.

9.4.
Распредели́ слова́ в гру́ппы и собери́ карти́нку.

44 УРОК   НЕУДА́ЧНОЕ СВИДА́НИЕ

1. а) Слу́шаем пе́сню не́сколько раз. Стара́емся догада́ться, почему́ пе́сня называ́ется «Неуда́чное свида́ние»?

б) Чита́ем текст, нахо́дим знако́мые слова́.

НЕУДА́ЧНОЕ СВИДА́НИЕ

Му́зыка
Алекса́ндра Цфа́смана

Слова́
Бори́са Тимофе́ева

Тебя́ проси́л я быть на свида́нье,
Мечта́л о встре́че, как всегда́.
Ты улыбну́лась, слегка́ смути́вшись,
Сказа́ла: Да, да, да, да!

С утра́ побри́лся и га́лстук но́вый
С горо́шком си́ним я наде́л.
Купи́л три а́стры, в четы́ре ро́вно
Я прилете́л.
– Я ходи́л! – И я ходи́ла!
– Я вас ждал! – И я ждала́!
– Я был зол! – И я серди́лась!
– Я ушёл! – И я ушла́!

Мы бы́ли о́ба.
Я у апте́ки!
А я в кино́ иска́ла вас!
Так, зна́чит, за́втра
На том же ме́сте, в тот же час!

2. Вспомина́ем слова́.

ту́фля

боти́нок

кроссо́вка

носо́к

перча́тка

шо́рты

плато́к

ю́бка

шарф

ша́пка

ку́ртка

футбо́лка

ко́фта

пиджа́к

сви́тер

блу́зка

руба́шка

джи́нсы

костю́м

спорти́вный костю́м

колго́тки

брю́ки

га́лстук

джéмпер

пальто́

пла́тье

пижа́ма

надева́ть (*что?*)

Я НАДЕВА́Ю	МЫ НАДЕВА́ЕМ
ТЫ НАДЕВА́ЕШЬ	ВЫ НАДЕВА́ЕТЕ
ОН/ОНА́ НАДЕВА́ЕТ	ОНИ́ НАДЕВА́ЮТ

НАДЕВА́ТЬ + вини́тельный паде́ж!!!

---

3. Что ты надева́ешь, éсли идёшь …

- на свида́ние,
- на трениро́вку,
- в теа́тр,

- спать,
- в шко́лу …

45 УРОК ПУТЕШÉСТВУЕМ ПО МОСКВÉ

 1. Игрá! Путешéствуем по Москвé.

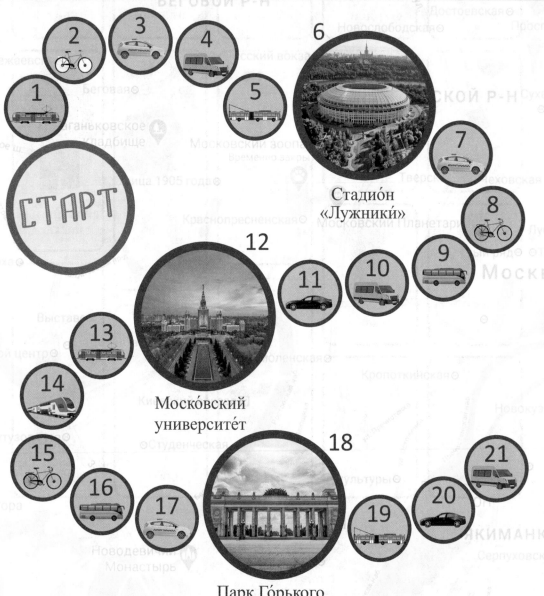

Стадиóн «Лужникú»

Москóвский университéт

Парк Гóрького

NB! Если ты в маленьком кружке, то скажи, куда и на чём ты едешь.
Если ты в большом кружке, то скажи, где ты.

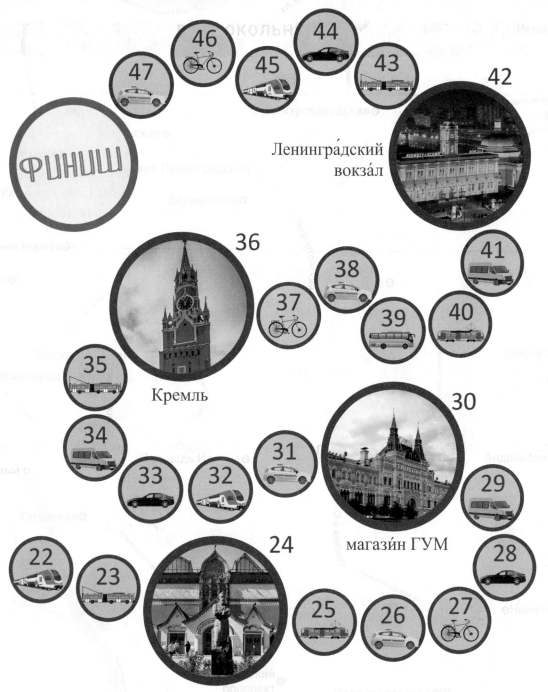

42 Ленингра́дский вокза́л

36 Кремль

30 магази́н ГУМ

24 Третьяко́вская галере́я

2. Узнаём сло́во.

46 УРОК ПРОВЕРЯ́ЕМ, ЧТО МЫ ЗНА́ЕМ

1. Де́лаем зада́ние и проверя́ем себя́!

Мы **рад / рады**, потому что завтра праздник. →
Мы **рады**, потому что завтра праздник.

1. Кто сегодня **должна / должен** убирать квартиру? 2. Марина сегодня **должен / должна** готовить еду. 3. Марк сегодня **должен / должна** гулять с собакой. 4. Вы **готова / готовы** ложиться спать? 5. Учитель вчера **свободен / был свободен**, а завтра **будет занят / был занят**. 6. Меня зовут Изабелла, и я очень **рады / рада**, потому что вечером иду на свидание. 7. Виктор, ты **согласен / согласна** отвечать на вопросы? 8. Мы **готова / готовы** писать контрольную работу. 9. Виктория, ты **согласна / согласен** читать каждый день? 10. Дети, вы **должны / должен** хорошо учиться. 11. Родители **должен / должны** хорошо работать. 12. Мы **рада / рады**, потому что идём в гости.

2. Слу́шаем, повторя́ем, перево́дим.

3. Слова́рная рабо́та 9. **4. Прове́рочная рабо́та 9.**

 5. Дикта́нт 9.

ЦИФРОВА́Я СРЕДА́

 9.5. Вы́бери пра́вильную фо́рму.

 9.6. Распредели́ слова́ в гру́ппы и собери́ карти́нку.

47 УРОК ПОРЯ́ДКОВОЕ ЧИСЛИ́ТЕЛЬНОЕ

Давай познакомимся с порядковыми числительными, чтобы научиться говорить, какое сегодня число и многое другое.

Порядковые числительные очень похожи на прилагательные, только обозначают порядок предметов при счёте.

У порядковых числительных такие же окончания, как у прилагательных. Сравни:

краси́вЫЙ – пе́рвЫЙ
большО́Й – вторО́Й
ма́ленькИЙ – тре́тИЙ

Порядковые числительные отвечают на вопрос Который? (Которая? Которое? Которые?) Но чаще в русском языке вместо вопроса Который? используют вопрос прилагательного Какой? (Какая? Какое? Какие?)

Како́й класс? Пе́рвый класс. Большо́й класс.
Кака́я шко́ла? Пе́рвая шко́ла. Больша́я шко́ла.
Како́е окно́? Пе́рвое окно́. Большо́е окно́.
Каки́е де́ти? Пе́рвые дети. Больши́е де́ти.

Порядковые числительные, как и прилагательные, согласуются с существительными в роде, числе и падеже.

В именительном падеже порядковые числительные
1) мужского рода
   - имеют окончание -ЫЙ: *пе́рвый ма́льчик*;
   - а также -ОЙ: *второ́й, шесто́й, седьмо́й, восьмо́й ма́льчик*;

2) женского рода
   - имеют окончание -АЯ: *пе́рвая де́вочка*;

3) среднего рода
   - имеют окончание -ОЕ: *пе́рвое окно́*;

4) во множественном числе
   - имеют окончание -ЫЕ: *пе́рвые де́ти*.

Исключением является числительное тре́тий: *тре́тий уро́к, тре́тья тетра́дь, тре́тье упражне́ние, тре́тьи кла́ссы.*

Мужской род КАКОЙ?	Женский род КАКАЯ?	Средний род КАКОЕ?	Множественное число КАКИЕ?
первый мальчик	первая девочка	первое окно	первые дети

При изучении порядковых числительных тебе поможет знание уже изученных количественных числительных.

КОТОРЫЙ?

1 один → перв/ый, -ая, -ое, -ые
2 два → втор/ой, -ая, -ое, -ые
3 три → трет/ий, -ья, -ье, -ьи
4 четыре → четверт/ый, -ая, -ое, -ые
5 пять → пят/ый, -ая, -ое, -ые
6 шесть → шест/ой, -ая, -ое, -ые
7 семь → седьм/ой, -ая, -ое, -ые
8 восемь → восьм/ой, -ая, -ое, -ые
9 девять → девят/ый, -ая, -ое, -ые
10 десять → десят/ый, -ая, -ое, -ые

NB! Для обозначения порядковых числительных на письме цифрой в именительном падеже к числу добавляют дефис и последнюю букву й:
1-й (*первый*),
2-й (*второй*),
3-й (*третий*).

Начиная с числа 10 порядковые числительные образовываются следующим образом:

-Ь → -ЫЙ, -АЯ, -ОЕ, -ЫЕ

11 одиннадцать → одиннадцат/ый, -ая, -ое, -ые
12 двенадцать → двенадцат/ый, -ая, -ое, -ые
13 тринадцать → тринадцат/ый, -ая, -ое, -ые
14 четырнадцать → четырнадцат/ый, -ая, -ое, -ые
15 пятнадцать → пятнадцат/ый, -ая, -ое, -ые
16 шестнадцать → шестнадцат/ый, -ая, -ое, -ые
17 семнадцать → семнадцат/ый, -ая, -ое, -ые
18 восемнадцать → восемнадцат/ый, -ая, -ое, -ые
19 девятнадцать → девятнадцат/ый, -ая, -ое, -ые
20 двадцать → двадцат/ый, -ая, -ое, -ые

В какой класс ты ходишь?
Я хожу в восьмой класс.

Составные порядковые числительные выглядят так: первое слово – количественное числительное, а второе слово – порядковое числительное.

количественное числительное		порядковое числительное	
двадцать первый =	двадцать	+	перв/ый, -ая, -ое, -ые
двадцать второй =	двадцать	+	втор/ой, -ая, -ое, -ые
тридцать третий =	тридцать	+	трет/ий, -ья, -ое, -ые

У́ЧИМ СЛОВА́:

се́рия	ошиба́ться	ряд	эта́ж
стра́нно	всё равно́	ме́сто	пло́щадь
изве́стный			

1. Знако́мимся! Но́вые слова́.

2. Чита́ем.

1-й, 2-й, 3-й, 4-й, 5-й, 6-й, 7-й, 8-й, 9-й, 10-й

3. Называ́ем день неде́ли.

Пе́рвый день неде́ли – ... . → Пе́рвый день неде́ли – понеде́льник.

1. Седьмо́й день неде́ли – ... . 2. Четвёртый день неде́ли – ... . 3. Второ́й день неде́ли – ... . 4. Пе́рвый день неде́ли – ... . 5. Тре́тий день неде́ли – ... . 6. Пя́тый день неде́ли – ... . 7. Шесто́й день неде́ли – ... .

4. Называ́ем, кото́рый по счёту э́тот день неде́ли.

Понеде́льник – ... . → Понеде́льник – пе́рвый день неде́ли.

1. Среда́ – ... . 2. Пя́тница – ... . 3. Вто́рник – ... . 4. Воскресе́нье – ... . 5. Четве́рг – ... . 6. Суббо́та – ... . 7. Понеде́льник – ... .

5. Чита́ем.

11-й, 12-й, 13-й, 14-й, 15-й, 16-й, 17-й, 18-й, 19-й, 20-й

6. Называ́ем ме́сяц.

Пе́рвый ме́сяц го́да – ... . → Пе́рвый ме́сяц го́да – янва́рь.

1. Девя́тый ме́сяц – ... . 2. Двена́дцатый ме́сяц – ... . 3. Шесто́й ме́сяц – ... . 4. Восьмо́й ме́сяц – ... . 5. Пе́рвый ме́сяц – ... . 6. Оди́ннадцатый ме́сяц – ... . 7. Четвёртый ме́сяц – ... . 8. Второ́й ме́сяц – ... . 9. Седьмо́й ме́сяц – ... . 10. Тре́тий ме́сяц – ... . 11. Деся́тый ме́сяц – ... . 12. Пя́тый ме́сяц – ... .

7. Называем, который по счёту этот месяц.

Январь – ... . → Январь – первый месяц года.

1. Март – ... . 2. Ноябрь – ... . 3. Июнь – ... . 4. Февраль – ... . 5. Август – .... .
6. Сентябрь – ... . 7. Июль – ... . 8. Декабрь – ... . 9. Апрель – .... . 10. Октябрь –
.... . 11. Май – .... . 12. Январь – ... .

8. Читаем.

21-й, 22-й, 23-й, 24-й, 25-й, 26-й, 27-й, 28-й, 29-й

9. Игра! Встаём в очередь. Какой ты по счёту?

Я первый, я второй…

10. Слушаем и записываем числительные.

11. Проверь свою логику.

Как написать «девятнадцать»,
а потом убрать «один» и получить «двадцать»?

12. Читаем.

11-й класс, 14-й человек, 7-й ученик, 20-й учитель, 31-й день, 17-й этаж,
3-й ребёнок, 8-й ряд, 2-й раз, 18-й текст, 26-й урок, 6-я школа, 2-я неделя,
25-я страница, 4-я серия, 7-я девочка, 1-я учительница, 14-я ученица, 58-я статья,
33-е место, 6-е слово, 18-е окно, 1-е время, 8-е классы, 1-е уроки, 4-е каникулы,
2-я площадь

13. Называем номер автобуса (троллейбуса, трамвая), который идёт к твоему дому.

61 – шестьдесят первый автобус

44   9   2

267   4   3

14. Где сидят дети?

В Москве, в центре, на Театральной площади, есть очень известный театр – Большой театр. Ему 240 лет. Здесь есть опера и балет. Если 240 лет назад в театре работало 43 человека, то сейчас 3000 человек.

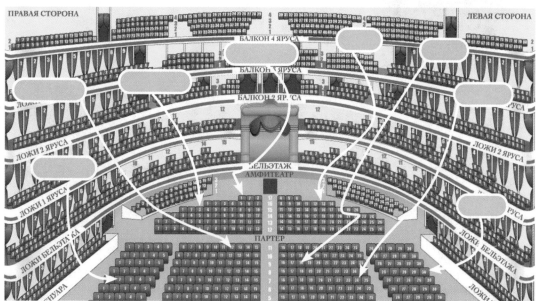

15. Играем в учителя! Рассказываем о порядковых числительных в русском языке: какие окончания обычно у этих слов и какие есть исключения (2, 6, 7, 8 и 3).

48 УРОК КАКÓЙ ПО СЧЁТУ?

1. Игрá! Говори́м, какóй по счёту мéсяц и́ли день недéли.

Орёл или решка?
Орёл – сделай 1 ход.
Решка – сделай 2 хода.

Понедéльник – пéрвый день недéли.
Янвáрь – пéрвый мéсяц гóда.

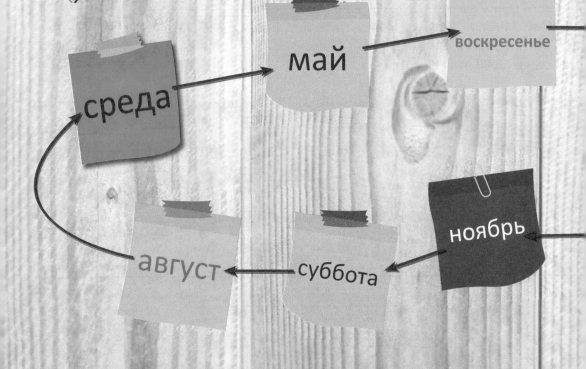

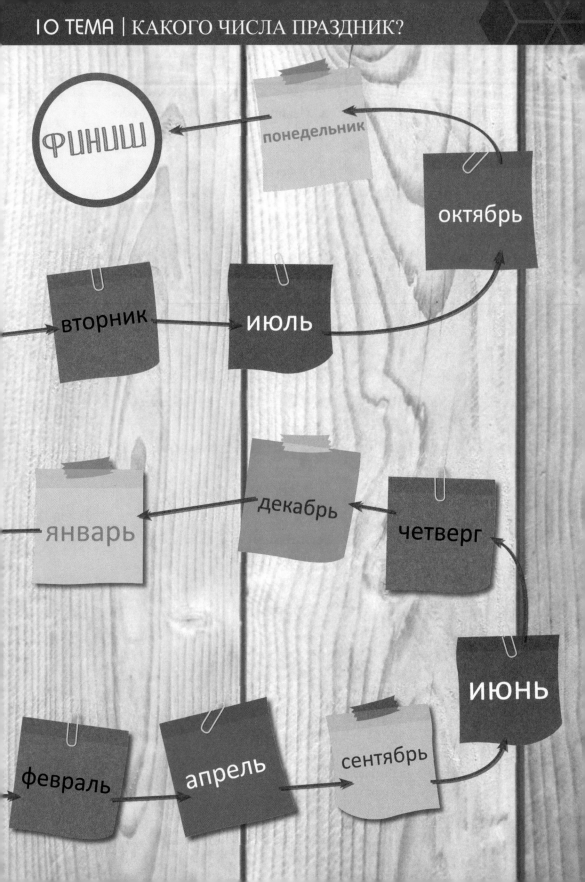

2. Слу́шаем и чита́ем диало́ги.

1

Что ты смо́тришь?

> Сериа́л.

Интере́сный?

> О́чень.

Я то́же хочу́.

По́здно. Э́то уже́ 15-я се́рия.

2

Извини́те, како́е у вас ме́сто?

> Трина́дцатое.

У меня́ то́же.

> Стра́нно. А како́й у вас ряд?

Трина́дцатый.

> Тогда́ поня́тно. Э́то двена́дцатый ряд. Вы оши́блись.

3

Сего́дня я пе́рвый раз говори́ла на у́лице на ру́сском языке́.

> И кто э́то был?

Ру́сский ма́льчик. Я пе́рвый раз его́ ви́дела. Ду́маю, он живёт в Росси́и, потому́ что он совсе́м не говори́т по-эсто́нски.

> Что он спроси́л?

Он спроси́л, како́й трамва́й е́дет на авто́бусный вокза́л. Я отве́тила, что туда́ е́дет второ́й и четвёртый трамва́й.

4

Вы где?

> В кино́.

Я то́же. Я вас не ви́жу. Како́й у вас ряд?

> 15-й ряд.

Да. Тепе́рь ви́жу.

6

Ты где?

> В кино́.

Я то́же. Я тебя́ не ви́жу. Како́й у тебя́ ряд?

> 15-й ряд.

Всё равно́ не ви́жу. Ты в како́м кино́?

> В «Ко́ка-ко́ла Пла́за». А ты?

Я в «Соля́рисе».

> Поня́тно.

5

Как до́лго ты здесь рабо́таешь?

> Я здесь рабо́таю пе́рвый день.

А я уже́ тре́тий ме́сяц.

7

Ты како́й ребёнок в семье́?

> Я – пе́рвый. Ещё у меня́ есть мла́дшая сестра́. А ты?

Я – второ́й. У меня́ есть ста́рший брат.

8

Ты здесь пе́рвый раз?

Нет, второ́й.

А я уже́ тре́тий.

9

Не ви́жу, како́й э́то авто́бус?

Я то́же не ви́жу.
Ка́жется, что 23-й.

Нет, э́то 24-й авто́бус.

10

В како́й класс ты хо́дишь?

В восьмо́й. А ты?

Я ещё в седьмо́й.
А ско́лько тебе́ лет?

Мне пятна́дцать
лет. А тебе́?

Мне то́же пятна́дцать.

3. Слу́шаем диало́ги и отвеча́ем на вопро́сы.

1. Куда́ идёт мужчи́на? Како́й эта́ж ему́ ну́жен?
2. В како́й класс хо́дит Та́рмо?
   В како́й класс хо́дит Ма́ри? Ско́лько лет Ма́ри?
3. Како́й трамва́й е́дет на вокза́л? Како́й трамва́й не е́дет на вокза́л?
4. Како́е ме́сто и ряд у мужчи́ны? Како́е ме́сто и ряд у же́нщины?

4. Составля́ем диало́ги.

1

А: Привет, Юра! Как давно я тебя не видел!
А: В четвёртый класс? Какой ты уже большой!
А: А в какой класс ты ходишь? В третий?
А: Ты уже ходишь в школу?

Б: Конечно, хожу. Мне уже десять лет.
Б: Здравствуйте, дядя Женя!
Б: Нет. Уже в четвёртый.

2

А: Извините! Я плохо вижу: какой это троллейбус?
А: Значит, я должна ждать ещё три минуты.
А: До свидания! Ещё раз спасибо!
А: Спасибо! А мне нужен пятый. А вы не знаете, когда
будет пятый троллейбус?

Б: Да. До свидания! Мой восьмой автобус уже едет.
Б: Это шестой троллейбус.
Б: Ровно в шесть.

3

A: Вы первый раз едете в Германию?
A: Я даже не помню. Или девятый, или десятый.
A: У меня там живёт старшая сестра.
A: Нет.

Б: Странно. Тогда почему вы ездите туда часто?
Б: Вот это да! Это ваша любимая страна?
Б: Нет. Мы едем уже второй раз. А вы?
Б: Понятно.

4

A: Привет, Алиса! У меня есть билет в театр.
A: Четырнадцатое место и пятнадцатое место, а ряд двадцатый.
A: Ты не занята в субботу вечером?
A: Да, встретимся в семь.
A: Близко – слишком дорого!

Б: Вечером я свободна. А какие у нас места?
Б: Привет, Петя! Я очень люблю театр!
Б: Понятно. Встретимся в театре?
Б: Далеко. Я плохо вижу.

5

A: Здравствуйте! Вы давно в школе работаете?
A: Шестые и седьмые. А у вас?
A: А я второй месяц.

Б: Это нормально. Одна учительница только первый день сегодня работает. У вас какие классы?
Б: У меня одиннадцатые и двенадцатые.
Б: Добрый день! Я работаю здесь уже восьмой год. А вы?

6

A: Привет, Юля! Давай встретимся!
A: Я тоже тогда буду смотреть.
A: Что ты делаешь?
A: Интересный?

Б: Поздно. Это уже двадцать третья серия.
Б: Привет, Настя! Я сейчас занята.
Б: Я смотрю любимый сериал.
Б: Да, очень.

49 УРОК | КАКО́Й СЕЙЧА́С ГОД?

Давай научимся называть год!

Как и другие составные порядковые числительные год выглядит так: первые слова – количественные числительные и только последнее слово – порядковое числительное:

1998 = ты́сяча (1000) + девятьсо́т (900) + девяно́сто (90) + восьмо́й (8-й) год
       = ты́сяча девятьсо́т девяно́сто восьмо́й год

2017 = две ты́сячи (2000) + семна́дцатый (17-й) год
       = две ты́сячи семна́дцатый год

А этот год надо просто запомнить: 2000 – двухты́сячный год

 У́ЧИМ СЛОВА́: 87

сле́дующий	про́шлый	да́же	то́чно

1. Чита́ем, како́й э́то год.

а) 2013; б) 1996; в) 2001; г) 1888; д) 1914; е) 2047; ё) 1961

2. «Собира́ем» из слов год. Чита́ем.

девятьсот тысяча пятый восемьдесят год →
тысяча девятьсот восемьдесят пятый год

1. шестнадцатый тысячи две год
2. восьмой тысяча девятьсот год
3. девятьсот четырнадцатый тысяча год
4. две год тысяча пятнадцатый
5. шестьсот сороковой год тысяча
6. девяносто первый тысяча девятьсот год
7. третий две тысячи год
8. двадцать год третий тысячи две

3. Какóй сейчáс год?

1. Éсли слéдующий год бýдет 2020-ый, то сейчáс … год.
2. Éсли прóшлый был 2005-ый, то сейчáс … год.
3. Éсли сейчáс 2019-ый, то слéдующий бýдет … год.
4. Éсли прóшлый был 1988-ой, то сейчáс … год.
5. Éсли сейчáс 2012-ый, то прóшлый был … год.
6. Éсли прóшлый был 1991-ый, то сейчáс … год.
7. Éсли слéдующий бýдет 1996-ой, то сейчáс … год.
8. Éсли сейчáс 2020-ый, то слéдующий бýдет … год.

 ### 4. Слýшаем и пíшем год.

ЦИФРОВÁЯ СРЕДÁ

 10.1. Найди правильную пару к числу. Послушай, как произносится.

 10.2. Дни недели. Найди пары. Послушай, как произносится.

 10.3. Месяцы. Найди пары. Послушай, как произносится.

 10.4. Послушай и найди соответствующий ответ.

 10.5. Найди правильную пару.

50 УРОК КАКОЕ СЕГОДНЯ ЧИСЛО?

Теперь давай научимся спрашивать и отвечать о том, какое сегодня число. Слово число – среднего рода, значит, и вопрос должен быть среднего рода:

КАКОЕ СЕГОДНЯ ЧИСЛО?

И в ответе порядковое числительное тоже должно быть среднего рода:

СЕГОДНЯ ПЕРВОЕ (ЧИСЛО).

Если ты хочешь добавить месяц, то в названии месяца надо немного изменить окончание:

СЕГОДНЯ ПЕРВОЕ ЯНВАРЯ.

январь → января	июль → июля	
февраль → февраля	август → августа	**Но! -А**
март → марта **Но! -А**	сентябрь → сентября	
апрель → апреля	октябрь → октября	
май → мая	ноябрь → ноября	
июнь → июня	декабрь → декабря	

Как видишь, почти во всех названиях месяцев появляется окончание **-Я**, и только в двух (март и август) – окончание **-А**.

1. Называем число.

1.01 – первое января

а) 18.08; б) 7.03; в) 28.10; г) 13.04; д) 30.11; е) 30.06; ё) 28.02; ж) 14.05; з) 12.04; и) 29.09; к) 11.12; л) 8.01

2. Какое сегодня число?

1. Если вчера было 31 января, то какое сегодня число? 2. Если сегодня 1 августа, то какое число было позавчера? 3. Если вчера было 10 февраля, то какое число будет завтра? 4. Если сегодня 5 марта, то какое число было вчера? 5. Если вчера было 18 апреля, то какое число будет послезавтра? 6. Если сегодня 23 мая, то какое число было позавчера? 7. Если вчера было 30 ноября, то какое сегодня число? 8. Если сегодня 1 декабря, то какое число будет послезавтра? 9. Если вчера было 24 июня, то какое число будет завтра? 10. Если сегодня 1 сентября, то какое число было вчера?

3. Слушаем и пишем число.

4. Какое сегодня число? Какое число будет завтра?
   Какое число было вчера?

5. Играем в учителя! Рассказываем:
   а) Если мы называем число и месяц, то какое окончание обычно у названия месяца?
   б) Какие есть исключения? Какое окончание у таких месяцев, как март и август?

 6. Слушаем и читаем диалоги.

1
Хорошо отдыхать! Я даже не помню, какое сегодня число.

Я тоже не помню. ☺

А какой день недели?

Суббота. Это я точно помню.

2
Какое сегодня число?

Двадцать пятое.

А когда ты идёшь в театр?

Тридцатого.

3
Какое завтра число?

Не знаю. Я не помню даже , какое сегодня число.

Сегодня второе, а завтра третье!

4
Какое вчера было число?

Пятнадцатое.

А ты не должен был идти на мероприятие?

Должен был! Я совсем забыл!

7. Слу́шаем диало́ги. Отвеча́ем на вопро́сы.

1. Како́е сего́дня число́ и како́й день неде́ли (в диало́ге)?
2. Како́е сего́дня число́ (в диало́ге)? Когда́ мужчи́на до́лжен идти́ в университе́т?
3. Како́е число́ бы́ло вчера́ (в диало́ге)?
4. Како́е число́ сего́дня, а како́е за́втра (в диало́ге)?

8. Составля́ем диало́ги.

1

А: Какое вчера было число?
А: Завтра начинаются каникулы!
А: Значит, завтра тринадцатое апреля?
А: А месяц?

Б: Апрель.
Б: Да, а что?
Б: Одиннадцатое.

2

А: Как хорошо, когда каникулы! Я даже не помню, какой сегодня день недели.
А: Да мне всё равно: понедельник сейчас или воскресенье.
А: Как? Уже? Каникулы закончились?
А: Нет, не помню и не хочу помнить.
А: И что?

Б: Как всё равно? Ты не помнишь, какое сегодня число?
Б: Значит, завтра понедельник и мы идём в школу.
Б: Сегодня двадцать восьмое февраля.
Б: А я помню. Сегодня воскресенье.

ЦИФРОВА́Я СРЕДА́

10.6. Найди́ пра́вильную па́ру.

10.7. Соедини́ вопро́с и отве́т. Послу́шай, как произно́сится.

51 УРОК   КАКО́ ГО ЧИСЛА́ ?

Ты уже научился спрашивать и отвечать о том, какое сегодня число:

*Как**ОЕ** сего́дня число́? Сего́дня пе́рв**ОЕ** январ**Я́**.*

А теперь давай научимся говорить, какого числа что-то произошло:

*Как**ОГО** числ**А́**? Пе́рв**ОГО** январ**Я́**.*

Как**ОЕ** число́? → Как**О́ГО** числ**А́**?

Как**О́ГО** числ**А́** *(когда́)* ты роди́лся / родила́сь / вы роди́лись? –

Как**О́ГО** числ**А́** *(когда́)* у тебя́/вас день рожде́ния? –

Как**О́ГО** числ**А́** *(когда́)* был после́дний уро́к? –

Как**О́ГО** числ**А́** *(когда́)* бу́дет сле́дующий уро́к? –

Как**О́ГО** числ**А́** *(когда́)* мы встре́тимся? –

пе́рв**ОЕ** январ**Я́** → пе́рв**ОГО** январ**Я́**

Я роди́лся/родила́сь
У меня́ день рожде́ния
После́дний уро́к был
Сле́дующий уро́к бу́дет
Встре́тимся

+

пе́рв**ОГО**
втор**О́ГО**
тре́ть**ЕГО**
четвёрт**ОГО**
пя́т**ОГО**
шест**О́ГО**
седьм**О́ГО**
восьм**О́ГО**
девя́т**ОГО**
деся́т**ОГО**
оди́ннадцат**ОГО**
три́дцать пе́рв**ОГО**

+

январ**Я́**
февраля́**Я**
ма́рт**А**
апре́л**Я**
числ**А́**

▼	▲	Мн. ч.
роди́ЛСЯ	родиЛА́СЬ	родиЛИ́СЬ

Мой па́па роди́лся **28.02.1978**
(*два́дцать восьмо́го февраля́ ты́сяча девятьсо́т се́мьдесят восьмо́го го́да*).

Моя́ ма́ма родила́сь **13.04.1981**
(*трина́дцатого апре́ля ты́сяча девятьсо́т во́семьдесят пе́рвого го́да*).

Я роди́лся **30.11.2004**
(*тридца́того ноября́ две ты́сячи четвёртого го́да*).

NB! Для обозначе́ния поря́дковых числи́тельных в како́м-нибудь падеже́ на письме́ ци́фрой к числу́ добавля́ют дефи́с и после́днюю бу́кву (е́сли предпосле́дняя бу́ква – гла́сная) и́ли две после́дних бу́квы (е́сли предпосле́дняя бу́ква – согла́сная):
1-го (*пе́рвого*), **2-го** (*второ́го*), **3-го** (*тре́тьего*).

 УЧИМ СЛОВА́:

роди́ться	бо́льше
день рожде́ния	шути́ть
пра́здник	начина́ть
вечери́нка	начина́ться
наприме́р	отмеча́ть/пра́здновать

1. Чита́ем. Называ́ем чи́сла слова́ми.

а) Я роди́лся 16.05.

б) У меня́ день рожде́ния 29.08.

в) Я и брат роди́лись 10.10.2002.

г) Ты родила́сь 04.04, а я – 19.08.

д) Де́вочка родила́сь 14.09.1988, а ма́льчик – 15.09.1997.

е) У ба́бушки день рожде́ния 07.07, а у де́душки – 06.06.

ё) Мой па́па роди́лся в апре́ле 1974 го́да, а ма́ма – в ма́рте 1976.

ж) Э́то стра́нно, но все мы роди́лись 07.07.2007.

з) В ноябре́ 1995 го́да я ходи́л в де́тский сад, а в сентябре́ 1997 го́да пошёл в шко́лу.

и) Я роди́лся 3.06, а мой брат –13.07.

2. Ми́хель ча́сто е́здит в Росси́ю. Смо́трим на его́ календа́рь. Расска́зываем, где, в како́м ме́сяце и како́го числа́ он был.

ИЮНЬ

					1	2
3	4	5	6	7	8	9
10	11	12	13	14	15	16
17	18	19	20	21	22	23
24	25	26	27	28	29	30

ИЮЛЬ

1	2	3	4	5	6	7
8	9	10	11	12	13	14
15	16	17	18	19	20	21
22	23	24	25	26	27	28
29	30	31				

МОСКВА

ТЮМЕНЬ

СЕНТЯБРЬ

	1	2	3	4	5	6
7	8	9	10	11	12	13
14	15	16	17	18	19	20
21	22	23	24	25	26	27
28	29	30	31			

ОКТЯБРЬ

				1	2	3
4	5	6	7	8	9	10
11	12	13	14	15	16	17
18	19	20	21	22	23	24
25	26	27	28	29	30	

ИВАНОВО

3. Игра́ «Сне́жный ком».

Я родила́сь пе́рвого января́. А когда́ ты роди́лся?

Ты родила́сь пе́рвого января́, я роди́лся четвёртого апре́ля. А когда́ ты роди́лся?

Она́ родила́сь пе́рвого января́, ты роди́лся четвёртого апре́ля, а я роди́лся пя́того ма́я. А когда́ ты родила́сь?

…

4. Игра́! Когда́ вы роди́лись? Встаём в шере́нгу. Пе́рвым бу́дет стоя́ть тот, кто роди́лся пе́рвого января́, а после́дним – кто роди́лся три́дцать пе́рвого декабря́.

5. Слу́шаем и чита́ем диало́ги.

93

1

Когда́ у тебя́ врач?

Деся́того а́вгуста.

Ещё так до́лго ждать!

2

Когда́ у тебя́ день рожде́ния?

Двена́дцатого ма́рта.
А когда́ у тебя́ день рожде́ния?

То́лько восьмо́го сентября́!

3

Когда́ ты роди́лся?

Седьмо́го ноября́. А ты?

Весно́й, в ма́е.

4

Когда́ у тебя́ бу́дет день рожде́ния?

Уже́ послеза́втра! Пя́того апре́ля!
А когда́ день рожде́ния у Ле́ны?

У Ле́ны день рожде́ния был вчера́! Второ́го апре́ля!

5

Когда́ у тебя́ день рожде́ния?

Тре́тьего а́вгуста. А у тебя́?

Уже́ был оди́ннадцатого декабря́.

6

Когда́ мы идём на экску́рсию?

Мы не идём, а е́дем.

Когда́? На чём?

Тре́тьего ма́я, на авто́бусе.

7

Когда́ встре́тимся? Когда́ ты бу́дешь в Эсто́нии?

Тридца́того мая.

Да ты что! А меня́ как раз не бу́дет.

8

Когда́ у нас контро́льная рабо́та?

Послеза́втра.

Како́го числа́?

Девя́того.

9

Учи́тельница, когда́ у нас сле́дующий уро́к?

Девя́того апре́ля.

Мы не мо́жем учи́ться девя́того апре́ля! Мы е́дем на экску́рсию в Петербу́рг.

6. Слу́шаем диало́ги. Отвеча́ем на вопро́сы.

94

1. Когда́ де́вочка игра́ет на пиани́но? Когда́ ма́льчик е́дет в Пя́рну?
2. Когда́ де́ти е́дут на экску́рсию? На чём?
3. Когда́ мужчи́на бу́дет в Ло́ндоне? Почему́ же́нщина и мужчи́на не мо́гут встре́титься?
4. Когда́ роди́лся ма́льчик? Когда́ родила́сь де́вочка? Когда́ роди́лся Ю́рий?

7. Составля́ем диало́ги.

1

A: Привет, Валентина! Когда мы встретимся?
A: Тогда встретимся восьмого марта!
A: Шестого я занят целый день. А седьмого где ты будешь?

Б: Хорошо. Я согласна!
Б: Седьмого я работаю, а восьмого марта у меня выходной.
Б: Привет, Егор! Я буду в городе шестого марта. Ты свободен шестого?

2

A: Слушай, ты знаешь Марию?
A: Ты шутишь?
A: А когда у неё день рождения?

Б: Тридцать первого декабря.
Б: Да, Марию я знаю.
Б: Нет, не шучу.

3

A: Когда ты родился?
A: А когда родилась твоя старшая сестра?
A: А год?

Б: Я забыл.
Б: Она родилась семнадцатого февраля.
Б: Я родился двадцать седьмого июля две тысячи девятого года.

4

A: Когда у тебя будет день рождения?
A: А у меня был позавчера.
A: В кафе.
A: Да.

Б: Тридцатого апреля? Ты отмечала?
Б: Скоро. Десятого мая. А у тебя?
Б: А где?

5

A: Я забыла, когда мы идём в театр?
A: Конечно.
A: У нас вечеринка в школе тоже четвёртого октября. Что делать?

Б: Вечеринка будет вечером?
Б: Четвёртого октября.
Б: А театр – днём.

52 УРОК НОВАЯ ЖИЗНЬ

1. 1) Слу́шаем. 2) Чита́ем и перево́дим.

НО́ВАЯ ЖИЗНЬ

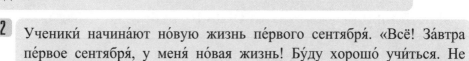

Обы́чно лю́ди начина́ют но́вую жизнь пе́рвого января́. Же́нщины говоря́т: «Всё! За́втра пе́рвое января́, у меня́ но́вая жизнь! Не бу́ду есть сла́дкое!»

Ученики́ начина́ют но́вую жизнь пе́рвого сентября́. «Всё! За́втра пе́рвое сентября́, у меня́ но́вая жизнь! Бу́ду хорошо́ учи́ться. Не опа́здываю, беру́ всегда́ чи́стые, аккура́тные тетра́ди!»

Я начина́ю но́вую жизнь всегда́ в понеде́льник. Мне всё равно́, пе́рвое число́ и́ли три́дцать пе́рвое. Ка́ждое воскресе́нье я говорю́: «Всё! За́втра понеде́льник, у меня́ но́вая жизнь! Тепе́рь бу́ду всегда́ носи́ть краси́вую оде́жду: и на у́лице, и в шко́ле, и до́ма!»

Но́вая жизнь у меня́ обы́чно в понеде́льник, вто́рник и сре́ду. А в четве́рг опя́ть начина́ется ста́рая жизнь. Хорошо́, что ско́ро опя́ть понеде́льник и сно́ва но́вая жизнь!

3) Найдём и прочита́ем отры́вок, в кото́ром говори́тся, что геро́й ...

а) в четверг обычно продолжает старую жизнь;
б) первого января не будет есть сладкое;
в) первого января будет всегда носить только красивую одежду;
г) первого января не будет опаздывать.

4) Послушаем запись и скажем правильно.

5) Отвеча́ем на вопро́сы.

1. Когда́ обы́чно лю́ди начина́ют но́вую жизнь? 2. Когда́ ученики́ начина́ют но́вую жизнь? 3. Что говори́т ма́льчик, когда́ начина́ет но́вую жизнь? 4. Что говори́т ма́льчик, когда́ начина́ет но́вую жизнь? 5. Что он говори́т ка́ждый понеде́льник? 6. Когда́ у ма́льчика но́вая жизнь, а когда́ ста́рая?

6) За́втра – новая жизнь! Кто даст бо́льше обеща́ний?

| БУ́ДУ МЕ́НЬШЕ … | НЕ БУ́ДУ БО́ЛЬШЕ … | БУ́ДУ ЛУ́ЧШЕ … |
| БУ́ДУ БО́ЛЬШЕ … | НИКОГДА́ НЕ БУ́ДУ… | БУ́ДУ … |

читать
отдыхать
спать
пить
ходить в театр
ездить на такси
слушать маму
гулять с собакой
готовить еду
ходить на рынок
ездить в деревню
получать замечания
гулять в парке
ходить в бассейн
делать ошибки
повторять ошибки
есть сладкое
рано вставать
делать зарядку

обедать
ужинать
танцевать
спешить
опаздывать
учить новые слова
красиво одеваться
бегать по утрам
принимать душ
ходить пешком
кататься на велосипеде
ходить на экскурсии
ходить на свидания
смотреть телевизор
убирать квартиру
учить русский язык
делать уроки
играть на пианино
сидеть в интернете

завтракать
работать
шутить
плавать
ошибаться
громко слушать музыку
поздно ложиться спать
тихо сидеть на уроке
есть овощи и фрукты
ходить в библиотеку
хорошо / плохо учиться
носить новую красивую одежду
делать домашнюю работу
писать контрольные работы на «отлично»
получать хорошие / плохие оценки
играть в компьютерные игры
много есть

7) Кака́я быва́ет но́вая жизнь? Когда́ она́ начина́ется и зака́нчивается?

1. Как ты обы́чно начина́ешь но́вую жизнь?
2. Когда́ ты начина́ешь но́вую жизнь?
3. Когда́ но́вая жизнь начина́ется и зака́нчивается? ☺

2. Слушаем песню.

В ЛЕСУ РОДИЛАСЬ ЁЛОЧКА

Слова Р. Кудашевой

Музыка Л. Бекмана

«В лесу родилась ёлочка» — очень известная русская детская песня. Ей уже 100 лет!

Её поют дети и взрослые на Новый год.

В лесу́ роди́лась ёлочка,
В лесу́ она́ росла́.
Зимо́й и ле́том стро́йная,
Зелёная была́.

Мете́ль ей пе́ла пе́сенку:
«Спи, ёлочка, бай-бай!»
Моро́з снежко́м уку́тывал:
«Смотри́, не замерза́й!»

Труси́шка за́йка се́ренький
Под ёлочкой скака́л.
Поро́ю волк, серди́тый волк,
Рысцо́ю пробега́л.

...

Тепе́рь она́, наря́дная,
На пра́здник к нам пришла́,
И мно́го, мно́го ра́дости
Дети́шкам принесла́.

3. Узнаём сло́во.

ЦИФРОВА́Я СРЕДА́

 10.8. Послушай предложение и выбери правильный вариант.

 10.9. Выбери дату в правильной форме.

10.10. Соедини вопрос и ответ. Послушай, как произносится.

 10.11. Посмотри и напиши, когда родились эти люди.

53 УРОК ПРАЗДНИКИ

1. Смотрим на некоторые русские праздники.

Январь	Февраль	Март	Апрель
01.01 Новый год 07.01 Рождество 25.01 Татьянин день (День студентов)	23.02 День защитника Отечества	08.03 Женский день	01.04 День смеха 12.04 День космонавтики
Май	**Июнь**	**Июль**	**Август**
01.05 Праздник весны и труда 09.05 День Победы	06.06 День рождения Пушкина, День русского языка 12.06 День России	08.09 День семьи, любви и верности	*Дорогой Андрей!* *С днём рождения!* *Оля*
Сентябрь	**Октябрь**	**Ноябрь**	**Декабрь**
01.09 День знаний	05.10 День учителя	04.11 День народного единства	12.12 День Конституции

Какие праздники есть и в России,
и в твоей стране?

Дорогой Марко!
С Новым годом!
Твоя Нина

2. Читаем текст и отвечаем на вопросы.

В Европе есть праздник – День матери, а в России – Женский день. В Европе второе воскресенье мая – день матери, а в России Женский день 8-го марта.

Новый год и в России, и в Европе отмечают 1-го января. Рождество в Европе – 24-го декабря, а в России – 7-го января. Ещё в России 13-го января отмечают старый Новый год.

День европейских языков – 26 сентября, а день русского языка в России – в день рождения Пушкина: 6-го июня.

Первый космонавт был русский. Это был Юрий Гагарин. 12-го апреля 1961 года он полетел в космос. Теперь 12-е апреля – это День космонавтики.

В Европе и Америке есть День отцов, а в России – День защитника Отечества. В Америке День отцов – третье воскресенье июня, а в России мужской праздник – 23-го февраля.

В России много отдыхают. Например, зимой в России новогодние каникулы 1-го, 2-го, 3-го, 4-го, 5-го, 6-го, 7-го и 8-го января. Это целая неделя или даже больше!

1-го сентября все дети в России идут в школу. Это день знаний. А 1-го апреля – День смеха, когда все шутят.

Вопросы:

1. Когда в России новогодние каникулы?
2. Какого числа в России Новый год?
3. Какого числа в России Рождество?
4. Какого числа в Европе Рождество?
5. Какого числа в России Женский день?
6. Когда в Европе День матери?
7. Когда в Америке День отцов?
8. Какого числа в России мужской праздник?
9. Какого числа в России день Конституции?
10. Какого числа в России День русского языка?
11. Какого числа в России День знаний?
12. Какого числа в России День семьи, любви и верности?
13. Какого числа в России День космонавтики?

54 УРОК ПРИВЕ́Т! Э́ТО Я!

 1. 1) Слу́шаем. 2) Чита́ем и перево́дим.

ПРИВЕ́Т! Э́ТО Я!

1 Приве́т! Э́то я! Меня́ зову́т Анто́н. Мне 15 лет. День рожде́ния у меня́ ле́том, в а́вгусте. Э́то неудо́бно, потому́ что ле́том кани́кулы и все мои́ друзья́ где-нибу́дь отдыха́ют. Я роди́лся восемна́дцатого а́вгуста две ты́сячи тре́тьего го́да. Я живу́ в Ке́хра и учу́сь в шко́ле. Я хожу́ уже́ в восьмо́й класс.

2 Мой па́па – врач. Он рабо́тает в поликли́нике. Моя́ ма́ма – касси́р, она́ рабо́тает в магази́не. Обы́чно я встаю́ у́тром в 7 часо́в, умыва́юсь, одева́юсь, де́лаю небольшу́ю у́треннюю заря́дку, за́втракаю и иду́ в шко́лу. Я хорошо́ учу́сь. У меня́ всегда́ хоро́шие оце́нки. Днём я хожу́ на трениро́вки. Я игра́ю в баскетбо́л. Обе́даю и у́жинаю я до́ма. Я о́чень люблю́ пи́ццу! Ма́ма говори́т, что я италья́нец. ☺

3 Ве́чером я де́лаю дома́шнее зада́ние, немно́го сижу́ в интерне́те и́ли смотрю́ телеви́зор. Пото́м я принима́ю душ и ложу́сь спать. В свобо́дное вре́мя я о́чень люблю́ ле́том пла́вать в реке́, а зимо́й – ката́ться на лы́жах. Я о́чень люблю́ спорт и не люблю́ компью́терные и́гры.

4 Моё люби́мое ме́сто в го́роде – э́то парк, я люблю́ там гуля́ть. Я гуля́ю там с соба́кой. Ещё я люблю́ ходи́ть в кино́. У меня́ есть подру́га Пи́рет. Она́ эсто́нка, но хорошо́ говори́т по-ру́сски. Мы ча́сто вме́сте хо́дим в кино́.

3) Найдём и прочита́ем предложе́ние, в кото́ром говори́тся, ...

а) как зову́т ма́льчика;

б) где он живёт и у́чится;

в) кто его́ па́па и где он рабо́тает;

г) кто его́ ма́ма и где она́ рабо́тает;

д) как он у́чится и каки́е у него́ оце́нки;

е) во что игра́ет Анто́н;

ж) где он обе́дает и у́жинает;

з) что он лю́бит есть;

и) где Анто́н лю́бит гуля́ть с соба́кой.

4) Послушаем запись и скажем правильно.

5) Отвечаем на вопросы.

1. Сколько лет мальчику? 2. Когда у него день рождения? 3. Почему ему не нравится, что у него день рождения летом? 4. Какого числа какого года он родился? 5. В какой класс ходит мальчик? 6. Как у мальчика начинается день? 7. Что он делает днём? 8. Что любит делать мальчик? 9. Где его любимое место в городе? 10. Куда он часто любит ходить? 11. Кто его подруга?

6) Посмотри на интеллект-карту «Мой день». Составь свой рассказ.

Глаголы:

вставать	слушать
завтракать	играть
обедать	отдыхать
ужинать	ехать на ...
учиться	ложиться спать
читать	смотреть
писать	делать
	ходить

2. Расска́зываем о де́тях.

3. Расска́зываем о себе́.

1. Как тебя́ зову́т? Кто ты?
2. Ско́лько тебе́ лет?
3. Когда́ ты роди́лся?
4. Где ты живёшь?
5. Где ты у́чишься?
6. В како́й класс ты хо́дишь?
7. Кто твои́ роди́тели?
8. Где они́ рабо́тают?
9. Когда́ они́ родили́сь?
10. Что ты лю́бишь де́лать?
11. Что ты не лю́бишь де́лать?

12. Что ты обы́чно де́лаешь в суббо́ту и воскресе́нье?
13. Кто твои́ друзья́? Как их зову́т? Каки́е они́?
14. Твоё люби́мое ме́сто в го́роде?
15. Твой люби́мый фильм?
16. Твоя́ люби́мая кни́га?
17. Твой люби́мый фрукт?
18. Твоя́ люби́мая еда́?

ЦИФРОВА́Я СРЕДА́

10.12. Вы́бери пра́вильный вариа́нт.

10.13. Изве́стные лю́ди Росси́и. Когда́ они́ родили́сь? Послу́шай и вы́бери пра́вильный отве́т.

55 УРОК | ПРОВЕРЯЕМ, ЧТО МЫ ЗНАЕМ

1. Делаем задание и проверяем себя!

Когда начинается урок? **В девять часов. / Девять часов.** →
Когда начинается урок? **В девять часов.**

1. Когда у тебя день рождения? **Тринадцатое августа. / Тринадцатого августа.**
2. Какой у вас этаж? **Третий. / Третьи.** 3. Какой это ряд? **Одиннадцатое. / Одиннадцатый.** 4. Какое у вас место? **Девятнадцатое. / Девятнадцатая.**
5. Какой это автобус? **Тридцать четвёртая. / Тридцать четвёртый.** 6. Какого числа Новый год? **Первого января. / Первое января.** 7. Когда в России люди отмечают Рождество? **Седьмое января. / Седьмого января.** 8. В какой класс ты ходишь? **В двенадцатом. / В двенадцатый.** 9. Когда вы едете в Россию? **Двадцать второго мая. / Двадцать два мая.** 10. Какой это трамвай? **Четвёртый. / Четвёртая.** 11. Когда начинаются каникулы? **Тридцать первое мая. / Тридцать первого мая.** 12. Что вы отмечаете **двадцать третье февраля / двадцать третьего февраля**? 13. Что они празднуют **восьмого марта / восьмое марта**? 14. Когда все шутят? **Первого апреля. / Первое апреля.** 15. Она **родилась / родился двадцать девятое февраля / двадцать девятого февраля**. 16. Он **родилась / родился второго марта / второе марта**.

2. Ролевая игра. Составляем диалоги при помощи карточек.

3. Слушаем, повторяем, переводим.

4. Словарная работа 10.

5. Проверочная работа 10.

6. Диктант 10.

А

а _____
абрико́с _____
абсолю́тно _____
а́вгуст _____
авто́бус _____
авто́бусный _____
Алло́! _____
анана́с _____
англи́йский _____
англича́нин _____
А́нглия _____
апельси́н _____
апре́ль _____
апте́ка _____
арбу́з _____
аэропо́рт _____
   (*предл. пад. в аэропорту́*)

Б

ба́бушка _____
бадминто́н _____
баклажа́н _____
бана́н _____
банк _____
баскетбо́л _____
бассе́йн _____
бе́гать _____
бе́жевый _____
бе́лый _____
библиоте́ка _____
бизнесме́н _____
биле́т _____
благодарю́ _____
бли́зко _____
блу́зка _____
больни́ца _____
больша́я ко́мната _____
бо́льше _____
бо́льше чем _____
большо́й _____
боти́нок _____
брат _____

брю́ки (*только мн.ч.*) _____
бу́лка _____
бутербро́д _____
бы́стро _____
быть _____
быть обя́занным _____

В

в го́сти _____
в день _____
в свобо́дное вре́мя _____
в шко́лу _____
ва́нна _____
ва́нная _____
варе́нье _____
ваш, ва́ша, ва́ше _____
везде́ _____
велосипе́д _____
весна́ _____
весно́й _____
ве́тер _____
ветчина́ _____
ве́чер _____
вечери́нка _____
ве́чером _____
вещь _____
ви́деть _____
виногра́д (*только ед.ч.*) _____
ви́шня (*только ед.ч.*) _____
вку́сный _____
вода́ (*только ед.ч.*) _____
вокза́л _____
волейбо́л _____
во́лосы _____
вопро́с _____
восемна́дцать _____
во́семь _____
во́семьдесят _____
воскресе́нье _____
вот _____
врач _____
вре́мя _____
вре́мя го́да _____

все _____

всё _____

Всё в поря́дке. _____

всё равно́ _____

всегда́ _____

встава́ть _____

встать _____

Встре́тимся! _____

вто́рник _____

вчера́ _____

вы _____

вы́ставка _____

выходно́й (день) _____

выходны́е (дни) _____

Г

газе́та _____

га́лстук _____

гарни́р _____

где _____

говори́ть _____

год _____

голубо́й _____

го́род _____

городско́й _____

горо́х _____

горчи́ца (только ед.ч.) _____

го́сти _____

гости́ница _____

гость (м.р.) _____

гото́в _____

гото́вить еду́ _____

гриб _____

гро́мко _____

гру́ша _____

гуля́ть _____

гуля́ть с соба́кой _____

Д

да _____

Да ты что! _____

давно́ _____

да́же _____

далеко́ _____

да́льше _____

два _____

два́дцать _____

двена́дцать _____

де́вочка _____

девяно́сто _____

девятна́дцать _____

де́вять _____

де́душка _____

дека́брь _____

де́лать _____

де́лать заря́дку _____

де́ло _____

день (м.р.) _____

день неде́ли _____

день рожде́ния _____

де́ньги (только мн.ч.) _____

дере́вня _____

де́рево _____

десе́рт _____

де́сять _____

де́ти _____

де́тская (ко́мната) _____

де́тский сад _____

дешёвый _____

дёшево _____

джéмпер (мн.ч. джéмперы) _____

джи́нсы (только мн.ч.) _____

диало́г _____

дива́н _____

дире́ктор _____

дли́нно _____

дли́нный _____

днём _____

До свида́ния! _____

Добро́ пожа́ловать! _____

До́брое у́тро! _____

до́брый _____

До́брый ве́чер! _____

До́брый день! _____

Договори́лись! _____

дождь _____

до́ктор _____
до́лжен _____
дом _____
до́ма _____
дома́шний _____
домо́й _____
до́рого _____
дорого́й _____
доска́ _____
дочь _____
друг _____
друг дру́га _____
ду́мать _____
ды́ня _____
дя́дя _____

Е
его́ _____
еда́ _____
её _____
ежедне́вник _____
е́здить _____
е́сли …, то … _____
есть _____
е́хать _____
ещё _____

Ж
жа́рко _____
ждать _____
жена́ _____
же́нщина _____
жёлтый _____
жить _____
журна́л _____

З
забы́ть _____
за́втра _____
за́втракать _____
зада́ние _____
зака́з _____
зака́зывать _____

зака́нчиваться _____
замеча́ние _____
за́нят _____
заря́дка _____
заче́м _____
звони́ть _____
звоно́к _____
здесь _____
Здра́вствуй! _____
Здра́вствуйте! _____
зелёный _____
земляни́ка (*только ед.ч.*) _____
зе́ркало _____
зима́ _____
зимо́й _____
знать _____
зна́чит _____

И
и _____
игра́ть _____
игра́ть в ка́рты _____
игра́ть на пиани́но _____
игра́ть на скри́пке _____
идти́ _____
изве́стный _____
Извини́! _____
Извини́те! _____
и́ли _____
и́менно _____
и́мя _____
иногда́ _____
институ́т _____
интере́сно _____
интере́сный _____
их _____
ию́ль _____
ию́нь _____

К
кабачо́к _____
ка́ждый (день) _____
как _____

Как вас зову́т? _____

Как ва́ша фами́лия? _____

Как ва́ше и́мя? _____

Как ва́ше о́тчество? _____

Как всегда́. _____

Как дела́? _____

Как до́лго? _____

Как твоё и́мя? _____

Как твоё о́тчество? _____

Как твоя́ фами́лия? _____

Как тебя́ зову́т? _____

кака́о (не изменяется) _____

Како́го цве́та? _____

како́й _____

кани́кулы _____

капу́ста (только ед.ч.) _____

каранда́ш _____

карто́фель (только ед.ч.) _____

карто́шка (разг.) _____

ка́сса _____

касси́р _____

ката́ться на конька́х _____

ката́ться на лы́жах _____

кафе́ (не изменяется) _____

ка́ша _____

кварти́ра _____

ке́тчуп _____

кино́ (не изменяется) _____

класс _____

клуб _____

клубни́ка (только ед.ч.) _____

клю́ква (только ед.ч.) _____

кни́га _____

кни́жный _____

когда́ _____

колбаса́ _____

колго́тки (только мн.ч.) _____

ко́мната _____

компью́тер _____

компью́терные и́гры _____

кондиционе́р _____

коне́чно _____

консульта́нт _____

контро́льная рабо́та _____

конфе́та _____

коридо́р _____

кори́чневый _____

коро́ткий _____

ко́ротко _____

костю́м _____

кот (м.р.) _____

котле́та _____

Кото́рый час? _____

ко́фе (м.р.) (не изменяется) _____

ко́фта _____

ко́шка (ж.р.) _____

краси́во _____

краси́вый _____

кра́сный _____

кре́сло _____

крова́ть (ж.р.) _____

кроссо́вки _____

крыжо́вник (только ед.ч.) _____

кто _____

Кто там? _____

купи́ть _____

ку́рица _____

ку́ртка _____

кусо́к _____

ку́хня _____

Л

ла́мпа _____

лёгкий _____

легко́ _____

лес (предл. пад. в лесу́) _____

ле́то _____

ле́том _____

лимо́н _____

лови́ть рыбу _____

логи́стика _____

ложи́ться спать _____

лук _____

люби́мый _____

люби́ть _____

любо́вь _____

лю́ди _____

М

магази́н _____
май _____
майоне́з _____
ма́ленький _____
мали́на (*только ед.ч.*) _____
ма́ло _____
ма́льчик _____
ма́ма _____
март _____
маршру́тка (*разг.*) _____
ма́сло _____
маши́на _____
ме́дленно _____
ме́йл _____
мел _____
ме́ньше чем _____
меню́ _____
Меня́ зову́т … . _____
мероприя́тие _____
ме́сто _____
ме́сто рабо́ты _____
ме́сяц _____
мёд (*только ед.ч.*) _____
мину́та _____
мла́дший _____
мне нра́вится _____
мно́го _____
мо́да _____
мо́дный _____
мо́жет (быть) _____
мо́жно _____
Мо́жно счёт? _____
моё _____
мой _____
моя́ _____
молоде́ц _____
молодо́й _____
молоко́ (*только ед.ч.*) _____
мо́ре _____
морко́вка (*разг.*) _____
морко́вь (*только ед.ч.*) _____
мочь _____

муж _____
мужчи́на _____
музе́й _____
му́зыка _____
музыка́льный _____
мы _____
мы́ло _____
мя́со (*только ед.ч.*) _____

Н

наве́рное _____
надева́ть _____
наприме́р _____
на рабо́ту _____
находи́ться _____
национа́льность _____
начина́ть _____
начина́ться _____
наш _____
на́ша _____
на́ше _____
не́ за что _____
не́бо _____
неда́вно _____
неде́ля _____
неинтере́сно _____
неинтере́сный _____
некраси́во _____
некраси́вый _____
нельзя́ _____
немно́го _____
непоня́тно _____
непра́вильно _____
неприя́тно _____
неприя́тный _____
несоли́дный _____
нет _____
неудо́бно _____
неудо́бный _____
никогда́ _____
никуда́ _____
ничего́ _____
но _____

но́вость (*ж.р.*) _____
но́вый _____
но́мер _____
носо́к (*мн.ч.* носки́) _____
ноутбу́к _____
ноя́брь _____

О

обе́дать _____
обра́тно _____
объявле́ние _____
объясня́ть _____
обы́чно _____
обяза́тельно _____
о́вощи _____
огуре́ц (*мн.ч.* огурцы́) _____
оде́жда _____
оде́ться _____
оди́н _____
оди́ннадцать _____
окно́ _____
окра́ина _____
октя́брь _____
он _____
она́ _____
они́ _____
оно́ _____
опозда́ть _____
опя́ть _____
ора́нжевый _____
о́сень _____
о́сенью _____
остано́вка _____
отве́тить _____
отвеча́ть на вопро́сы _____
отдыха́ть _____
отли́чно _____
отмеча́ть _____
о́тчество _____
о́фис _____
официа́нт _____
оце́нка _____
о́чень _____

О́чень прия́тно! _____
О́чень прия́тно познако́миться! _____
_____
ошиба́ться _____
оши́бка _____

П

пальто́ (*не изменяется*) _____
па́па _____
парк _____
парко́вка _____
па́рта _____
пельме́ни _____
пена́л _____
переводи́ть _____
переме́на _____
пе́рец _____
пе́рсик _____
перча́тка _____
петру́шка (*только ед.ч.*) _____
петь _____
пече́нье (*только ед.ч.*) _____
пешко́м _____
пиджа́к _____
пижа́ма _____
пиро́г _____
пиро́жное _____
писа́ть _____
письмо́ _____
пить _____
пла́вать _____
плато́к (*мн.ч.* платки́) _____
пла́тье _____
плита́ _____
пло́хо _____
плохо́й _____
пло́щадь _____
по-англи́йски _____
повторя́ть _____
пого́да _____
подру́га _____
по́езд _____
пожа́луйста _____

позавчера́ _____

по́здно _____

по́зже _____

Познако́мься! _____

Познако́мьтесь! _____

пока́ _____

Пока́! _____

по́лка _____

получи́ть _____

полчаса́ _____

по ме́йлу _____

помидо́р _____

по́мнить _____

помога́ть _____

по национа́льности _____

понеде́льник _____

понима́ть _____

поня́тно _____

по-ру́сски _____

посла́ть _____

после́дний _____

послеза́втра _____

пото́м _____

потому́ что _____

почему́ _____

по-эсто́нски _____

пра́вило _____

пра́вильно _____

пра́здник _____

пра́здновать _____

практи́чески _____

предложе́ние _____

Приве́т! _____

приме́рно _____

принима́ть душ _____

прия́тно _____

Прия́тного аппети́та! _____

прия́тный _____

проверя́ть _____

продаве́ц _____

просну́ться _____

про́сто _____

про́шлый _____

пря́мо _____

пюре́ (*только ед.ч.*) _____

пятна́дцать _____

пя́тница _____

пять _____

пятьдеся́т _____

Р

рабо́та _____

рабо́тать _____

рабо́чий _____

рад _____

ра́дио _____

раз _____

ра́ковина _____

ра́но _____

ра́ньше _____

ребёнок _____

реди́с (*только ед.ч.*) _____

реди́ска (*разг.*) _____

ре́дко _____

река́ _____

рестора́н _____

рис (*только ед.ч.*) _____

рисова́ть _____

ро́вно _____

роди́тель _____

роди́ться _____

родно́й язы́к _____

ро́зовый _____

Росси́я _____

руба́шка _____

ру́сский _____

ру́сский язы́к _____

ру́чка _____

ры́ба _____

ры́нок _____

ряд _____

ря́дом _____

С

сад (*предл. пад.* в саду́) _____

сала́т _____

сапо́г	снача́ла
са́хар	снег
светло́	сно́ва
све́тлый	соба́ка
свёкла	собра́ние
свида́ние	совсе́м
сви́тер (*мн.ч.* сви́теры)	совсе́м бли́зко
свобо́ден	согла́сен
свобо́дно	сок
свобо́дное вре́мя	солёный
сего́дня	соли́дный
сейча́с	со́лнце
семна́дцать	соль
семь	соля́нка
се́мьдесят	со́рок
сентя́брь	сосе́д
сериа́л	соси́ска
се́рия	спа́льня
се́рый	спаси́бо
сестра́	спать
сиде́ть	спеши́ть
си́ний	спорт
сказа́ть	спорти́вный
ско́лько	спорти́вный костю́м
Ско́лько вре́мени?	спортсме́н
Ско́лько с меня́?	спра́ва
Ско́лько сто́ит?	спроси́ть
Ско́лько сто́ят?	среда́
ско́ро	сре́дний
ску́чно	стадио́н
ску́чный	ста́рший
сла́дкий	ста́рый
сле́ва	статья́
сле́дующий	сто
сли́ва	стол
сли́шком	столи́ца
слова́рь (*м.р.*)	столо́вая
сло́во	стоя́нка
сло́жный	страна́
слу́шать	страни́ца
смета́на (*только ед.ч.*)	стра́нно
смотре́ть	стул
Смотри́!	суббо́та

су́мка _____
суп _____
суперма́ркет _____
сын _____
сыр _____
сюда́ _____

Т

такси́ (*не изменяется*) _____
там _____
танцева́ть _____
таре́лка _____
твоё _____
твой _____
твоя́ _____
тво́ро́г (*только ед.ч.*) _____
теа́тр _____
телеви́зор _____
телефо́н _____
телефо́нный но́мер _____
темно́ _____
тепе́рь _____
тепло́ _____
тетра́дь (*ж.р.*) _____
тёмный _____
тётя _____
ти́хо _____
Ти́хо! _____
то́же _____
то́лько _____
тома́т _____
торго́вый центр _____
торт _____
то́чно _____
трамва́й _____
трениро́вка _____
три _____
три́дцать _____
трина́дцать _____
тролле́йбус _____
тру́дно _____
тру́дный _____
туале́т _____

туда́ _____
тут _____
ту́фля (*мн.ч. ту́фли*) _____
ты _____
ты́ква _____
тяжело́ _____
тяжёлый _____

У

убира́ть кварти́ру _____
удо́бно _____
удо́бный _____
уже́ _____
у́жинать _____
укро́п (*только ед.ч.*) _____
у́лица _____
уме́ть _____
у́мный _____
университе́т _____
упражне́ние _____
уро́к _____
уста́ть _____
у́тро _____
у́тром _____
уче́бник _____
учени́к _____
учени́ца _____
учи́тель _____
учи́тельница _____
учи́ть _____
учи́ться _____

Ф

фами́лия _____
февра́ль _____
Финля́ндия _____
финн _____
фиоле́товый _____
фо́то _____
фотогра́фия _____
фру́кты _____
футбо́л _____
футбо́лка _____

Х

хлеб (*только ед.ч.*) _____
хобби (*не изменяется*) _____
ходить _____
хоккей _____
холодильник _____
холодно _____
хороший _____
хорошо _____
хотеть _____
хрен (*только ед.ч.*) _____
художник _____

Ц

цвет (*мн.ч. цвета*) _____
цветной _____
целый _____
целый (день) _____
центр (города) _____
центральный _____
церковь (*ж.р.; мн.ч. церкви; предл. пад.*
  в церкви) _____

Ч

чай (*только ед.ч.*) _____
час _____
часто _____
часы _____
часы отстают _____
часы спешат _____
человек _____
черешня (*только ед.ч.*) _____
черника (*только ед.ч.*) _____
чеснок (*только ед.ч.*) _____
четверг _____
четыре _____
четырнадцать _____

чёрный _____
число _____
читать _____
что _____

Ш

шампунь (*м.р.*) _____
шапка _____
шарф _____
шахматы (*только мн.ч.*) _____
шестнадцать _____
шесть _____
шестьдесят _____
шкаф (*предл. пад.* в шкафу) _____
школа _____
школьный _____
шоколад (*только ед.ч.*) _____
шорты (*только мн.ч.*) _____
шутить _____

Э

экскурсия _____
этаж _____
это _____

Ю

юбка _____
юрист _____

Я

я
яблоко _____
ягоды _____
я должен _____
яйцо _____
январь _____

МЕСТОИМЕНИЯ

КТО?

Ед.ч.	Мн.ч.
Я	МЫ
ТЫ	ВЫ
ОН, ОНА́, ОНО́	ОНИ́

У КОГО?

Ед.ч.	Мн.ч.
У МЕНЯ́	У НАС
У ТЕБЯ́	У ВАС
У НЕГО́ У НЕЁ	У НИХ

КОГО?

Ед.ч.	Мн.ч.
МЕНЯ́	НАС
ТЕБЯ́	ВАС
ЕГО́ ЕЁ	ИХ

КОМУ?

Ед.ч.	Мн.ч.
МНЕ	НАМ
ТЕБЕ	ВАМ
ЕМУ ЕЙ	ИМ

МОЙ, ТВОЙ, ЕГО / ЕЁ

Ед.ч.	Мн.ч.
МОЙ, МОЯ́, МОЁ, МОИ́	НАШ, НА́ША, НА́ШЕ, НА́ШИ
ТВОЙ, ТВОЯ́, ТВОЁ, ТВОИ́	ВАШ, ВА́ША, ВА́ШЕ, ВА́ШИ
ЕГО́, ЕЁ	ИХ

СУЩЕСТВИТЕЛЬНОЕ, РОД

Мужской род	Женский род	Средний род
-й -ь	-а -я -ь	-о -е
КОТ, МАЙ, ЯНВА́РЬ	МА́МА, НЕДЕ́ЛЯ, ТЕТРА́ДЬ	ОКНО́, МО́РЕ
NB! ПА́ПА, ДЯ́ДЯ		NB! И́МЯ, ВРЕ́МЯ

СУЩЕСТВИТЕЛЬНОЕ, МНОЖЕСТВЕННОЕ ЧИСЛО

	М.р.		Ж.р.		Ср.р.	
Единственное число	Слово оканчивается на **-Г, -К, -Х, -Ж, -Ч, -Ш, -Щ, -Й, -Ь, -Я** ма́льчик, каранда́ш, слова́рь, дя́дя ↓	Слово оканчивается на другие буквы дива́н, стол, мужчи́на ↓	Слово оканчивается на **-ГА, -КА, -ХА, -ЖА, -ЧА, -ША, -ЩА, -Ь, -Я** оце́нка, подру́га, тетра́дь, тётя ↓	Основа существительного оканчивается на другие буквы + окончание **-А** же́нщина, шко́ла, учи́тельница ↓	Окончание **-О** окно́ ↓	Окончание **-Е** мо́ре ↓
Множественное число	**-И** ма́льчики, карандаши́, словари́, дя́ди	**-Ы** дива́ны, столы́, мужчи́ны	**-И** оце́нки, подру́ги, тетра́ди, тёти	**-Ы** же́нщины, шко́лы, учи́тельницы	**-А** о́кна	**-Я** моря́

ПРЕДЛОЖНЫЙ ПАДЕЖ

▼ М.р.	▲ Ж.р.		● Ср.р.	М.р., Ж.р., Ср.р.
-й -ь	-а -я -ь		-о -е	-ий -ия -ие
парк, май, слова́рь	шко́ла, дере́вня	тетра́дь	окно́, мо́ре	санато́рий, Герма́ния, упражне́ние
↓ **-Е** в па́рке, в ма́е, в словаре́	↓ **-Е** в шко́ле, в дере́вне	↓ **-И** в тетра́ди	↓ **-Е** на окне́, на мо́ре	↓ **-ИИ** в санато́рии, в Герма́нии, в упражне́нии

ВИНИТЕЛЬНЫЙ ПАДЕЖ

	М.р.	Ж.р.	Ср.р.	Мн.ч.
Неодушевлённые	Не изменяется	-У / -Ю (кроме -ь)	Не изменяется	Об этом мы поговорим позже
Одушевлённые	-А / -Я	-У / -Ю (кроме -ь)	Не изменяется	Не изменяется

ПРИЛАГАТЕЛЬНОЕ

▽ как/о́й?	▲ как/а́я?	● как/о́е?	Мн.ч. как/и́е?
-ЫЙ Если ударение падает на основу: **но́вый, ста́рый**	**-АЯ** но́вая, ста́рая	**-ОЕ** но́вое, ста́рое	**-ЫЕ** но́вые, ста́рые
-ОЙ Если ударение падает на окончание: **молодо́й, прямо́й**	**-АЯ** молода́я, пряма́я	**-ОЕ** молодо́е, прямо́е	**-ЫЕ** молоды́е, прямы́е
-ИЙ Если на конце основы *г, к, х, ж, ч, ш, щ* и ударение не падает на окончание: **хоро́ший, ма́ленький** **Но!** плохо́й, большо́й	**-АЯ** хоро́шая, плоха́я, ма́ленькая, больша́я	**-ОЕ** ма́ленькое, плохо́е, большо́е **Но!** **-ЕЕ** Если на конце основы *ж, ч, ш, щ*: хоро́шее	**-ИЕ** хоро́шие, плохи́е, ма́ленькие, больши́е

ПРИЛАГАТЕЛЬНОЕ И НАРЕЧИЕ

Прилага́тельное	Наре́чие
КАКО́Й?	КАК?
краси́вый	краси́во
хоро́ший	хорошо́
плохо́й	пло́хо
интере́сный	интере́сно
тру́дный	тру́дно
лёгкий	легко́
ма́ленький	ма́ло
поня́тный	поня́тно
прия́тный	прия́тно
ру́сский	по-ру́сски
большо́й	**Но!** мно́го

ГЛАГОЛ

Ед.ч.	Мн.ч.
я -У / -Ю	мы -ЕМ / -ИМ
ты -ЕШЬ / -ИШЬ	вы -ЕТЕ / -ИТЕ
он/она -ЕТ / -ИТ	они -УТ, -ЮТ / -АТ, -ЯТ

ГЛАГОЛ – ПРОШЕДШЕЕ, НАСТОЯЩЕЕ И БУДУЩЕЕ ВРЕМЯ

	ВЧЕРА́ Проше́дшее	СЕГО́ДНЯ Настоя́щее	ЗА́ВТРА Бу́дущее
Я	рабо́тала.	рабо́таю.	бу́ду рабо́тать.
ТЫ	рабо́тала.	рабо́таешь.	бу́дешь рабо́тать.
ОН	рабо́тал.	рабо́тает.	бу́дет рабо́тать.
ОНА	рабо́тала.	рабо́тает.	бу́дет рабо́тать.
МЫ	рабо́тали.	рабо́таем.	бу́дем рабо́тать.
ВЫ	рабо́тали.	рабо́таете.	бу́дете рабо́тать.
ОНИ	рабо́тали.	рабо́тают.	бу́дут рабо́тать.

КУДА

	М.р.		Ж.р.		Ср.р.
	-й -ь музе́й, Брюссе́ль	-а Москва́	-я Герма́ния	-ь це́рковь	-о -е окно, свида́ние
Прилага́тельное	↓ Не изменя́ется	↓ -УЮ краси́вую, зи́мнюю		↓ -УЮ краси́вую, зи́мнюю	↓ Не изменя́ется
Существи́тельное	↓ Не изменя́ется	↓ -У Москву́	↓ -Ю Герма́нию	↓ Не изменяется	↓ Не изменя́ется
Мно́жественное число́	↓ Не изменя́ется: города – в города́, деревни – в деревни, улицы – на улицы				

ГЛАГОЛ **БЫТЬ**: ПРОШЕДШЕЕ, НАСТОЯЩЕЕ И БУДУЩЕЕ ВРЕМЯ

	ВЧЕРА́ Проше́дшее	**СЕГО́ДНЯ** Настоя́щее	**ЗА́ВТРА** Бу́дущее
Я	**был/а́** до́ма.	до́ма.	**бу́ду** до́ма.
ТЫ	**был/а́** до́ма.	до́ма.	**бу́дешь** до́ма.
ОН	**был** до́ма.	до́ма.	**бу́дет** до́ма.
ОНА	**была́** до́ма.	до́ма.	**бу́дет** до́ма.
МЫ	**бы́ли** до́ма.	до́ма.	**бу́дем** до́ма.
ВЫ	**бы́ли** до́ма.	до́ма.	**бу́дете** до́ма.
ОНИ	**бы́ли** до́ма.	до́ма.	**бу́дут** до́ма.

Я ИДУ/ЕДУ ...

В

в шко́лу	в апте́ку	в университе́т
в лес	в магази́н	в поликли́нику
в класс	в це́рковь	в столо́вую
в кино́	в кабине́т	в бассе́йн
в клуб	в дере́вню	в библиоте́ку
в кафе́	в музе́й	в ко́мнату
в теа́тр	в го́сти	в рестора́н
в сад	в аэропо́рт	в институ́т
	в го́род	в выходны́е

НА

на уро́к	на трениро́вку	на стадио́н
на у́лицу	на свида́ние	на остано́вку
на ры́нок	на экску́рсию	на вы́ставку
на рабо́ту	на собра́ние	на кани́кулы
на мо́ре	на мероприя́тие	
на вокза́л	на пло́щадь	

НА ЧЁМ?

на маши́не
на авто́бусе
на такси́
на велосипе́де
на по́езде
на маршру́тке

ИДТИ

Я ИДУ́	МЫ ИДЁМ
ТЫ ИДЁШЬ	ВЫ ИДЁТЕ
ОН/ОНА́ ИДЁТ	ОНИ́ ИДУ́Т

Прошедшее время: ШЁЛ, ШЛА, ШЛИ

 Е́ХАТЬ

Я Е́ДУ	МЫ Е́ДЕМ
ТЫ Е́ДЕШЬ	ВЫ Е́ДЕТЕ
ОН/ОНА Е́ДЕТ	ОНИ Е́ДУТ

Прошедшее время: Е́ХАЛ, Е́ХАЛА, Е́ХАЛИ

 ХОДИ́ТЬ

Я ХОЖУ́	МЫ ХО́ДИМ
ТЫ ХО́ДИШЬ	ВЫ ХО́ДИТЕ
ОН/ОНА́ ХО́ДИТ	ОНИ́ ХО́ДЯТ

Прошедшее время: ХОДИ́Л, ХОДИ́ЛА, ХОДИ́ЛИ

 Е́ЗДИТЬ

Я Е́ЗЖУ	МЫ Е́ЗДИМ
ТЫ Е́ЗДИШЬ	ВЫ Е́ЗДИТЕ
ОН/ОНА́ Е́ЗДИТ	ОНИ́ Е́ЗДЯТ

Прошедшее время: Е́ЗДИЛ, Е́ЗДИЛА, Е́ЗДИЛИ

УЧЕБНЫЙ ГОД	ИМЯ И ФАМИЛИЯ УЧЕНИКА	КЛАСС